The GIANTS WORD SEARCH PUZZLE BOOK

30 All-New Football Trivia Puzzles

by Brendan Emmett Quigley

APPLESEED • PRESS •
• BOOK • PUBLISHERS

Kennebunkport, Maine

The Giants Word Search Puzzle Book

This is an Appleseed Press edition

13-Digit ISBN: 978-1-60464-018-2
10-Digit ISBN: 1-60464-018-9

This book may be ordered by mail from the publisher. Please include $2.00 for postage and handling.

Please support your local bookseller first!

Books published by Cider Mill Press Book Publishers are available at special discounts for bulk purchases in the United States by corporations, institutions, and other organizations. For more information, please contact the publisher.

Appleseed Press
12 Port Farm Road
Kennebunkport, Maine 04046

Visit us on the web!
www.appleseedpress.net

Designed by PonderosaPineDesign.com, Vicky Vaughn Shea

Typography: Berthold Akzidenz Grotesk, Cg Yearbook, Colossalis, Nobel, Numbers Style Two, Stempel Schneidler

Photography credits: ©iStockPhoto.com/Vincent Giordano; ©Getty Images/Photodisc/C Squared Studios; ©Shutterstock.com/Tatiana Popova; ©Shutterstock.com/Peter Elvidge

Printed in China

1 2 3 4 5 6 7 8 9 0

First Edition

Contents

1

GIANTS HALL OF FAMERS

V	O	R	R	O	B	U	S	T	E	L	L	I	P	R	U	G
K	F	R	I	E	D	M	A	N	H	B	W	O	F	E	Z	V
M	W	G	N	L	T	R	P	M	I	O	A	D	L	B	H	F
C	Z	K	U	H	K	S	B	A	D	G	R	O	A	R	G	S
E	W	C	A	E	U	D	I	I	A	O	J	P	H	E	I	N
L	G	K	N	K	G	B	M	E	F	U	K	A	E	H	D	C
H	D	T	R	B	B	Z	B	F	M	E	L	P	R	I	Y	D
E	O	Z	A	K	P	V	I	A	A	N	T	I	T	T	L	E
N	N	U	L	Y	J	G	Y	C	R	B	I	U	Y	G	Q	O
N	H	W	S	X	L	N	S	J	A	D	N	E	N	O	M	Y
Y	B	Z	O	P	A	O	T	P	H	N	B	O	W	U	O	J
T	R	B	N	R	N	Y	R	N	E	H	R	E	Y	Y	Z	G
J	D	H	D	K	B	K	T	L	Z	T	N	B	H	U	F	F
H	R	X	A	A	Y	M	L	Y	S	Q	Z	P	I	L	G	M

Badgro
Brown
Csonka
Flaherty
Friedman
Gifford

Guyon
Hein
Henry
Herber
Hubbard
Huff

Mara
Maynard
McElhenny
Owen
Robustelli
Strong

Tarkenton
Taylor
Thorpe
Tittle
Tunnell
Weinmeister

2

THE SNEAKERS GAME

A	C	S	R	A	E	B	O	G	A	C	I	H	C	I	Z	U
S	A	I	K	S	R	U	G	A	N	O	K	N	O	R	B	I
N	F	L	C	H	A	M	P	I	O	N	S	H	I	P	C	T
E	I	O	Y	H	K	R	X	G	L	D	W	F	E	N	T	D
A	M	A	N	H	A	T	T	A	N	C	O	L	L	E	G	E
K	C	V	R	L	O	S	Z	U	Q	B	N	O	I	L	T	A
E	T	W	K	G	V	V	O	C	O	N	A	P	R	W	B	D
R	T	P	F	W	N	R	K	M	U	L	D	X	R	C	V	U
S	Z	N	I	V	G	I	O	H	P	R	D	S	Q	Q	F	V
G	M	L	F	O	K	L	Z	R	G	T	E	B	R	D	K	H
A	M	E	L	H	E	I	N	E	M	E	L	G	Q	Z	H	J
M	W	O	Q	N	T	O	I	K	E	N	S	T	R	O	N	G
E	P	V	D	U	T	S	Q	C	H	R	L	Y	B	Q	Z	U
V	T	A	S	N	A	I	K	N	A	R	F	E	K	I	Z	X

Bo Molenda
Bronko Nagurski
Chicago Bears
Ed Danowski
Freezing rain
Ike Frankian
Ken Strong
Manhattan College
Mel Hein
NFL Championship
Polo Grounds
Sneakers Game

3

SUPER BOWL XXI

A	O	J	F	S	Z	U	K	L	W	U	M	N	H	T	B	F
H	T	A	B	E	D	A	R	O	T	A	G	T	S	R	I	F
Y	N	H	Z	N	W	B	X	K	R	P	O	H	W	M	X	A
R	O	S	E	B	O	W	L	K	J	J	L	E	P	G	X	S
A	S	G	X	B	X	N	B	X	M	H	R	H	H	E	L	M
U	R	I	L	K	R	A	F	Q	K	C	I	R	I	O	W	T
L	E	J	P	V	V	O	K	M	G	L	L	J	L	R	O	T
A	D	X	O	A	P	R	N	N	M	B	B	Z	S	G	B	A
L	N	M	R	E	R	L	I	C	Q	W	H	Z	I	E	R	W
L	A	O	U	F	M	K	C	S	O	L	V	U	M	M	E	O
E	S	J	V	D	C	O	F	C	B	S	Y	Q	M	A	P	M
G	I	H	K	E	N	P	R	C	B	D	M	U	S	R	U	E
R	T	E	R	K	A	N	B	R	J	M	F	M	B	T	S	K
E	T	W	E	N	T	Y	T	H	I	R	T	Y	N	I	N	E
J	O	Y	E	B	M	N	F	C	T	S	E	D	X	N	V	Z

First Gatorade bath
George Martin
Joe Morris
Mark Bavaro
Ottis Anderson
Phil McConkey
Phil Simms
Raul Allegre
Rose Bowl
Super Bowl XXI
The Broncos
Twenty–thirty–nine
Wrecking Crew
Zeke Mowatt

4

MICHAEL STRAHAN

C	L	W	O	B	O	R	P	E	M	I	T	N	E	V	E	S
S	U	P	E	R	B	O	W	L	C	H	A	M	P	N	B	F
D	U	V	Y	Y	P	N	L	E	X	R	B	T	G	E	Z	R
E	B	J	R	O	F	L	X	F	E	F	E	B	N	Z	W	Y
F	D	T	E	P	S	J	L	H	V	A	Y	P	I	D	W	L
E	U	N	D	E	B	O	S	A	M	D	R	G	T	M	P	C
N	T	E	A	V	G	U	F	X	E	O	X	K	N	C	G	I
S	U	A	E	I	R	T	K	T	S	M	O	Y	E	E	Y	I
I	C	B	L	S	G	X	I	V	L	S	I	S	L	C	H	J
V	M	H	S	N	I	I	S	C	K	V	W	T	E	Y	U	N
E	N	A	K	E	X	J	K	Q	E	A	T	E	R	N	O	J
E	P	C	C	F	O	W	T	Y	T	E	N	I	N	U	K	C
N	O	S	A	E	S	E	L	G	N	I	S	L	U	C	O	W
D	T	H	S	D	Y	A	D	N	U	S	L	F	N	X	O	F

Defensive end
Defensive POY
Four-time All-Pro
FOX NFL Sunday
Ninety-two
Pass rusher
"Pros vs. Joes"
Seven-time Pro Bowl
Single-season . . .
. . . sacks leader
Super Bowl champ
Unrelenting

5

GIANTS ALL-TIME RECEIVING LEADERS

F	K	G	I	Z	O	F	R	A	N	K	G	I	F	F	O	R	D	A
K	Y	L	E	R	O	T	E	A	M	W	E	K	Q	V	N	F	Q	H
N	O	G	W	Z	Q	R	K	R	S	A	N	E	K	X	Y	Z	E	Y
D	R	T	R	W	M	E	C	O	C	H	N	H	N	U	G	H	A	A
Z	A	S	K	F	N	N	U	N	T	I	K	I	B	A	R	B	E	R
D	V	D	E	T	F	F	T	T	S	S	X	L	T	C	I	N	R	G
M	A	I	N	G	R	O	B	H	A	P	C	L	I	O	O	M	F	T
L	B	A	X	Q	Q	H	O	O	L	U	G	I	S	S	O	L	K	S
F	K	K	K	P	T	S	B	M	X	Z	U	A	I	Y	T	M	M	E
P	R	Y	A	W	O	L	L	A	C	S	I	R	H	C	F	C	E	N
H	A	L	E	X	W	E	B	S	T	E	R	D	Y	A	X	X	M	R
P	M	F	X	Z	V	D	H	L	F	O	U	Z	V	Q	B	I	K	A
T	I	Q	D	A	Y	X	Z	M	M	K	Z	P	A	K	F	S	C	E
F	I	S	G	H	N	K	D	E	Q	O	W	R	N	X	K	V	G	I
D	P	L	A	X	I	C	O	B	U	R	R	E	S	S	M	E	I	D
B	L	C	B	U	P	J	E	R	E	M	Y	S	H	O	C	K	E	Y

Aaron Thomas
Alex Webster
Amani Toomer
Bob Tucker
Chris Calloway
Del Shofner
Earnest Gray
Frank Gifford
Ike Hilliard
Jeremy Shockey
Joe Morrison
Kyle Rote
Mark Bavaro
Plaxico Burress
Tiki Barber

6

FRANK GIFFORD

Y	S	R	P	M	Q	L	N	G	G	R	V	J	U	P	M	T	H	Y
R	Z	B	V	A	U	S	W	W	G	L	D	W	R	R	H	P	V	Q
Y	T	P	V	E	D	G	I	C	D	V	Q	O	F	O	A	T	N	I
X	E	R	N	T	F	J	W	X	Y	V	B	H	N	F	L	M	V	P
F	I	P	Y	E	V	L	S	U	T	O	Z	A	O	O	F	J	T	X
Q	G	D	H	D	S	S	Q	Y	W	I	M	N	N	O	B	X	G	M
Q	H	N	I	A	T	A	I	L	O	U	M	T	P	T	A	V	O	Q
L	T	Z	V	C	D	V	M	X	O	I	T	E	V	B	C	J	M	O
W	P	M	S	E	H	V	Q	W	T	N	B	H	A	A	K	D	T	O
E	R	B	R	D	P	G	A	P	R	E	K	N	A	L	F	R	R	J
F	O	H	L	L	A	B	T	O	O	F	E	G	E	L	L	O	C	E
A	B	Z	J	L	V	C	U	E	K	M	L	N	G	H	X	P	G	H
O	O	M	M	A	C	J	F	K	S	C	T	O	W	O	S	G	R	F
Q	W	C	L	X	M	T	H	G	A	C	D	H	G	F	C	Y	I	O
L	L	A	B	T	O	O	F	T	H	G	I	N	Y	A	D	N	O	M
X	S	O	U	T	H	E	R	N	C	A	L	I	F	O	R	N	I	A

All-Decade Team
College Football HOF
Eight Pro Bowls
Flanker
Halfback
Monday Night Football
NFL MVP
Pro Bowl MVP
Pro Football HOF
Six-time All-Pro
Sixteen
Southern California

7

COACHES

L	P	G	R	N	Y	N	R	X	L	X	A	W	F	U	B	W
T	X	B	U	I	A	L	E	X	A	N	D	E	R	W	P	P
O	P	I	I	L	V	M	G	W	M	R	J	B	I	V	D	A
I	M	N	S	H	C	V	R	Z	O	Q	W	S	E	L	O	R
W	P	I	B	G	M	Y	A	E	S	X	E	T	D	G	Z	C
P	Q	K	A	U	Q	U	P	I	H	V	G	E	M	H	W	E
T	Y	E	W	O	K	N	S	F	E	S	M	R	A	V	Z	L
Q	X	C	W	C	D	S	N	E	C	L	I	N	N	D	L	L
J	I	E	O	A	N	D	R	E	W	S	D	B	H	E	J	S
Z	J	U	A	I	B	M	A	R	V	L	L	E	W	L	O	F
X	J	J	K	U	R	E	G	I	E	T	T	O	P	U	Y	K
J	B	R	Y	P	K	K	H	Y	D	X	H	A	F	S	W	V
L	E	S	S	A	F	Y	Q	A	C	L	B	P	F	L	G	U
P	I	Z	P	U	X	D	B	V	V	M	Z	H	J	M	Q	V

Alexander
Andrews
Arnsparger
Coughlin
Fassel
Folwell
Friedman
Handley
Howell
McVay
Owen
Parcells
Perkins
Potteiger
Reeves
Sherman
Webster

coach
Now (2011)
I am 10

8

GIANTS ALL-TIME RUSHING TOUCHDOWNS LEADERS

```
W W A R B W B C N V R S C I W Q Y S P
C J C M E E D Z M J B L E L O W V M W
Z Q V V B C P N X V Y D Y U Q N B T N
F I J E T I K I B A R B E R A I O B R
R U V X D R A L M H P A S V L I R O E
A K W V M P W B N Y Z J M L N A D W T
N L H N W E R Z H T S K P X N N L H R
K Q E D T I O T T I S A N D E R S O N
G W D X I D F C R W S D O Y T Q N F X
I F O A W D F R B C B N H G A J X C X
F F F W S E O L H P J A N P O X E T M
F U G L W M B A A A M Z F H H H E J K
O L P G E L L S C P X Q N L I V W B M
R U D O U G K O T A R S F E N D E C W
D A J G D H B O D E O T P W N H Z V P
J G K T U S N V C N R H U C Z Z P Z E
```

Alex Webster Doug Kotar Joe Morris Ron Johnson
Bill Paschal Eddie Price Ottis Anderson Tiki Barber
Brandon Jacobs Frank Gifford Rodney Hampton

2011 Now (2009) I am 10

9

ROSEY BROWN

K	Z	R	P	Z	Y	M	F	Z	Y	V	C	Q	C	L	A	P
E	L	K	C	A	T	E	V	I	S	N	E	F	F	O	R	G
T	P	A	S	S	P	R	O	T	E	C	T	O	R	O	P	L
A	L	L	D	E	C	A	D	E	T	E	A	M	F	J	J	X
T	J	L	Y	B	V	D	P	R	G	O	S	O	I	C	P	X
S	V	T	N	I	N	E	P	R	O	B	O	W	L	S	F	I
N	L	I	N	E	M	A	N	O	F	T	H	E	Y	E	A	R
A	U	M	L	G	E	N	G	T	B	P	H	A	A	K	A	I
G	J	E	L	Y	B	S	D	A	Y	Y	J	T	T	C	P	R
R	M	T	E	R	L	G	L	I	H	N	B	Z	A	N	N	J
O	R	E	K	C	O	L	B	D	L	E	I	F	N	W	O	D
M	H	A	F	X	H	F	C	R	L	O	F	N	A	R	L	W
H	N	M	D	O	E	M	I	S	B	Z	Q	X	E	A	B	X
G	K	C	F	X	T	N	B	R	B	A	N	F	Z	J	W	A

All-Decade Team
All-Time Team
Downfield blocker
Lineman of the Year
Morgan State
Nine Pro Bowls
Offensive tackle
Pass protector
Pro Football HOF
Seventy-nine

10

NO PLACE LIKE HOME

M	G	E	Y	J	R	A	E	H	P	T	N	P	M	R
M	U	I	D	A	T	S	S	T	N	A	I	G	U	T
E	V	I	P	O	L	O	G	R	O	U	N	D	S	Q
X	C	E	D	N	S	E	F	E	F	R	Y	U	A	Y
O	X	M	Z	A	P	R	B	D	P	K	N	Z	M	L
V	F	W	B	R	T	X	U	O	G	C	A	O	P	E
B	H	L	I	Q	H	S	Q	G	W	Y	B	C	N	G
Z	Y	B	N	Z	C	H	A	M	J	L	L	N	R	K
M	U	I	D	A	T	S	E	E	K	N	A	Y	I	Z
K	I	Z	E	E	G	X	J	V	H	F	U	L	M	A
D	K	K	L	R	J	P	M	A	W	S	E	H	T	G
W	O	D	A	O	F	G	J	Q	I	X	D	A	O	A

Giants Stadium
Polo Grounds
Shea Stadium
The Swamp
UAlbany
WFAN
Yale Bowl
Yankee Stadium

11

THE GREATEST GAME EVER PLAYED

Y	V	F	F	I	R	S	T	O	V	E	R	T	I	M	E	S
L	L	I	R	D	E	T	U	N	I	M	O	W	T	W	O	H
R	J	W	K	H	E	L	H	V	C	U	R	O	N	E	S	Q
E	G	U	P	Y	J	O	H	N	N	Y	U	N	I	T	A	S
N	Q	R	U	C	L	C	O	T	O	F	W	P	Y	L	U	S
O	N	Y	A	N	K	E	E	S	T	A	D	I	U	M	T	N
C	D	N	C	S	A	R	R	V	Y	S	O	T	Q	S	V	V
E	Q	C	A	E	O	O	H	O	W	M	J	S	D	V	I	I
I	I	N	Z	J	O	M	E	L	T	R	I	P	L	E	T	T
L	Y	F	V	H	E	I	J	D	S	E	N	E	V	L	G	H
R	I	I	T	P	A	T	S	U	M	M	E	R	A	L	L	F
A	C	L	I	F	F	L	I	V	I	N	G	S	T	O	N	W
H	N	F	L	C	H	A	M	P	I	O	N	S	H	I	P	Y
C	J	C	Q	P	J	B	E	K	C	Q	V	T	Q	L	D	V

Baltimore Colts
Charlie Conerly
Cliff Livingston
First overtime
Johnny Unitas
Kyle Rote
Mel Triplett
NFL Championship
Pat Summerall
Two-minute drill
Yankee Stadium

12

GIANTS ALL-TIME PASSING LEADERS

D	N	J	D	A	E	N	S	M	R	O	N	H	K	O	K	F
J	O	E	P	I	S	A	R	C	I	K	O	I	S	U	E	Y
E	T	J	H	T	C	M	V	S	B	P	T	A	J	I	N	K
F	N	F	D	R	O	R	M	T	C	F	R	L	S	U	T	E
F	E	T	A	E	T	D	L	I	J	G	O	K	Q	Y	G	R
H	K	O	N	N	T	A	D	Y	S	G	M	U	A	I	R	R
O	R	N	N	X	B	V	I	C	G	L	G	T	U	V	A	Y
S	A	B	Y	L	R	E	N	O	C	E	I	L	R	A	H	C
T	T	M	K	V	U	M	X	Y	S	T	A	H	Z	I	A	O
E	N	M	A	V	N	B	S	E	T	H	R	J	P	U	M	L
T	A	X	N	T	N	R	H	L	E	X	C	U	C	R	O	L
L	R	Y	E	Z	E	O	E	D	D	A	N	O	W	S	K	I
E	F	R	L	J	R	W	F	X	H	M	A	P	P	H	F	N
R	N	K	L	V	G	N	I	N	N	A	M	I	L	E	G	S

Charlie Conerly
Craig Morton
Danny Kanell
Dave M. Brown
Ed Danowski
Eli Manning
Fran Tarkenton
Jeff Hostetler
Joe Pisarcik
Kent Graham
Kerry Collins
Norm Snead
Phil Simms
Scott Brunner
Y.A. Tittle

13 GIANTS RETIRED NUMBERS

E	N	S	S	J	Z	H	T	T	C	P	L	Q	V	S	Z	P	M	Z
F	O	U	R	T	E	E	N	V	N	L	X	K	N	Z	F	I	L	F
G	N	W	P	Y	T	R	E	H	A	L	F	Y	A	R	I	M	Y	N
P	N	X	T	I	U	L	L	R	B	C	M	I	M	F	W	T	J	A
M	X	O	E	Y	T	A	L	B	L	O	Z	I	S	J	F	A	O	F
K	J	G	R	T	T	W	J	T	X	Z	U	Y	N	I	Q	L	E	O
J	O	U	I	T	F	R	A	N	K	G	I	F	F	O	R	D	M	T
Q	D	T	O	W	S	E	I	U	Z	X	O	W	T	Y	T	R	O	F
E	A	S	N	Z	H	N	M	H	I	G	Z	Y	T	Z	H	N	R	V
Y	N	O	Y	E	V	C	E	S	T	N	T	Q	B	M	E	O	R	A
Z	R	P	T	K	E	E	Y	K	I	B	C	O	V	K	W	P	I	Q
V	Y	B	R	T	D	T	U	F	F	Y	L	E	E	M	A	N	S	Q
Y	U	R	O	F	F	A	X	S	M	M	I	S	L	I	H	P	O	C
Q	T	A	F	I	L	Y	Z	I	O	H	Z	E	L	E	V	E	N	G
B	F	X	F	O	P	L	B	F	S	O	U	V	Z	K	A	J	Q	F
Y	G	I	L	E	U	O	N	I	E	H	L	E	M	O	T	S	N	R
W	U	M	C	H	A	R	L	I	E	C	O	N	E	R	L	Y	Q	D

One
Ray Flaherty

Four
Tuffy Leemans

Seven
Mel Hein

Eleven
Phil Simms

Fourteen
Y.A. Tittle

Sixteen
Frank Gifford

Thirty-two
Al Blozis

Forty
Joe Morrison

Forty-two
Charlie Conerly

Fifty
Ken Strong

Fifty-six
Lawrence Taylor

14

SUPER BOWL XXV

W	T	I	N	R	D	N	E	N	H	R	S	K	O	Y	E	E
V	Y	K	C	X	E	K	L	J	P	S	W	T	X	T	O	E
C	T	D	Z	U	F	K	H	X	H	D	T	J	H	G	T	U
L	N	O	B	P	S	M	A	R	K	I	N	G	R	A	M	D
U	E	O	I	U	E	F	A	B	S	R	I	E	M	C	A	G
Y	W	W	Q	C	F	N	O	A	N	R	P	P	P	L	T	V
J	T	R	P	Q	H	F	N	B	E	E	A	H	E	Q	T	V
A	N	O	W	G	D	D	A	D	T	S	H	S	Y	S	B	W
K	E	N	P	Y	E	F	I	L	T	V	U	P	L	V	A	U
T	E	T	J	R	I	W	X	A	O	O	F	Y	E	B	H	L
S	T	T	S	I	M	W	D	I	T	B	B	Y	T	T	R	T
B	E	O	M	U	P	I	L	H	V	M	I	H	F	B	S	U
I	N	C	X	S	U	P	E	R	B	O	W	L	X	X	V	P
A	I	S	K	M	B	N	G	F	W	Q	L	B	L	F	V	R
A	N	V	A	U	G	L	W	D	R	M	L	F	X	S	Y	V

Buffalo Bills
Mark Ingram
Matt Bahr
Nineteen–twenty
Ottis Anderson
Scott Norwood
Stephen Baker
Super Bowl XXV
Tampa Stadium
Wide right

15

GIANTS ALL-TIME KICKING AND PUNTING LEADERS

J	W	T	V	L	F	D	Z	N	M	P	A	L	U	H	O	U	S	J
H	D	R	A	H	C	N	A	L	B	M	O	T	K	M	B	E	G	C
J	R	H	V	X	W	R	O	Y	Q	M	A	I	P	O	N	H	T	X
E	A	I	E	L	I	L	O	C	V	T	E	T	F	Y	I	E	S	F
F	N	T	Y	E	N	R	A	C	N	H	O	J	T	E	R	H	K	S
F	Y	T	E	B	R	T	U	A	S	C	E	E	D	A	R	L	G	R
F	A	U	J	D	V	U	Y	I	G	R	C	H	L	N	L	N	X	E
E	M	W	G	H	N	R	J	U	G	N	H	F	L	Y	I	L	E	L
A	D	J	E	P	B	A	J	E	E	S	Y	S	L	N	V	Z	E	D
G	A	C	K	T	H	X	L	R	Z	F	Q	E	N	P	G	N	M	N
L	R	H	T	I	P	L	W	N	A	V	E	E	L	U	S	V	K	A
E	B	A	L	G	A	A	U	F	A	F	J	I	B	W	T	K	J	H
S	M	A	I	L	L	I	W	C	Y	E	N	D	O	R	S	R	R	C
C	Q	T	U	G	A	E	C	A	V	M	S	M	Z	C	U	Q	A	N
G	P	A	E	A	Q	Z	J	A	I	O	X	N	N	T	N	F	J	O
G	R	T	C	H	O	F	D	R	O	F	U	B	Y	R	U	A	M	D

Ali Haji-Sheikh
Brad Maynard
Dave Jennings
Don Chandler
Jay Feely
Jeff Feagles
John Carney
Lawrence Tynes
Matt Allen
Matt Bryant
Maury Buford
Raul Allegre
Rodney C. Williams
Sean Landeta
Tom Blanchard

16

GIANTS ALL-TIME INTERCEPTIONS LEADERS

K	S	O	W	D	L	H	P	H	L	Y	F	V	N	C	E	F
F	S	P	H	I	L	L	I	P	P	I	S	P	A	R	K	S
N	Y	V	V	C	L	W	E	B	O	W	W	R	W	T	T	D
A	R	K	M	K	J	L	L	N	C	I	L	K	H	N	N	R
G	N	Y	I	L	I	E	I	M	N	L	L	Y	Z	N	X	A
A	O	T	X	Y	M	F	M	E	O	U	C	R	V	I	F	N
E	O	K	A	N	M	D	V	C	W	R	T	D	B	R	X	I
R	Y	W	F	C	Y	R	K	E	Y	I	J	N	R	P	Y	K
K	O	K	N	H	P	H	N	L	K	Z	L	A	E	F	B	Y
N	O	S	K	C	A	J	Y	R	R	E	T	L	R	L	O	R
A	A	C	I	R	T	D	F	I	U	T	B	M	I	E	M	R
R	L	V	T	S	T	J	S	I	G	J	O	O	H	A	O	E
F	X	U	U	H	O	D	O	A	S	O	T	T	W	U	M	T
N	O	T	S	G	N	I	V	I	L	E	I	W	O	H	R	S

Carl Lockhart
Dick Lynch
Emlen Tunnell
Frank Reagan
Howie Livingston
Jimmy Patton
Phillippi Sparks
Terry Jackson
Terry Kinard
Tom Landry
Willie Williams

17

ELI MANNING

K	C	I	P	L	L	A	R	E	V	O	T	S	R	I	F	Q
C	O	D	R	M	F	P	L	R	C	V	J	V	P	A	E	Z
A	T	H	E	H	E	L	M	E	T	C	A	T	C	H	D	O
B	T	C	J	W	I	S	T	I	S	P	R	F	G	O	D	C
R	O	F	I	F	O	J	V	N	V	L	C	W	X	N	A	R
E	N	E	W	O	R	L	E	A	N	S	P	V	U	E	Y	V
T	B	G	O	Y	V	H	E	F	G	R	C	C	R	T	D	A
R	O	X	I	O	G	M	D	M	O	M	S	P	Q	R	T	E
A	W	U	X	Q	L	M	Q	B	I	U	W	M	Z	E	G	Y
U	L	G	G	B	O	H	O	G	L	S	U	B	W	B	L	E
Q	M	S	L	R	L	W	N	P	S	S	S	T	D	M	W	E
P	V	M	I	I	L	X	L	W	O	B	R	E	P	U	S	G
P	P	U	Z	E	Y	X	Y	C	K	K	U	V	T	N	K	L
E	D	A	R	T	S	R	E	V	I	R	P	I	L	I	H	P

Cotton Bowl MVP
First overall pick
New Orleans
Number ten
Ole Miss
Philip Rivers trade
Pro Bowler
Quarterback
Super Bowl XLII MVP
"The Helmet Catch"

18

WELLINGTON MARA

T	R	O	T	A	R	T	S	I	N	I	M	D	A	F	R	Y
J	N	W	B	H	H	O	M	Y	A	K	S	I	L	O	E	W
I	B	E	J	E	T	N	J	X	E	B	E	Z	F	H	V	T
S	I	X	D	I	V	I	S	I	O	N	T	I	T	L	E	S
D	L	U	R	I	K	O	A	P	Q	J	F	C	R	L	N	L
J	K	P	A	X	S	J	Y	A	W	V	N	C	A	A	U	L
E	R	P	F	A	D	E	X	W	U	X	F	L	D	B	E	Y
B	O	R	T	J	K	O	R	F	K	P	S	I	I	T	S	X
J	V	N	E	B	N	Y	W	P	C	O	I	Y	N	O	H	H
C	D	B	X	R	L	I	Y	R	C	R	N	P	G	O	A	N
A	U	P	P	M	A	H	D	R	O	F	R	A	W	F	R	B
Z	I	T	E	J	C	G	M	T	E	V	N	N	H	O	I	W
F	O	U	R	N	F	L	T	I	T	L	E	S	I	R	N	C
E	R	A	T	G	B	N	D	O	E	R	H	B	Z	P	G	E

Administrator
Draft expert
Fordham
Four NFL titles
NFC president
Owner
Pro Football HOF
Revenue sharing
Six division titles
The Duke
Trading whiz

19

THE CRUNCH BUNCH

C	E	R	H	W	T	V	U	F	J	A	H	C	A	N	N	I
S	R	E	K	C	E	R	W	E	D	F	O	D	R	A	O	B
V	Y	T	A	G	U	L	A	P	R	O	B	O	W	L	S	G
A	T	O	O	C	H	N	A	W	Q	I	Y	S	R	L	R	G
H	X	O	B	C	S	X	S	L	O	L	Z	A	I	Z	A	I
P	T	L	E	P	N	A	V	D	A	R	B	N	R	O	C	E
W	U	B	R	I	A	N	K	E	L	L	E	Y	X	U	Y	P
N	Y	J	K	P	G	H	C	N	U	B	H	C	N	U	R	C
X	O	R	D	G	K	H	G	D	A	I	I	R	D	U	R	Q
O	K	B	Z	X	S	D	T	C	F	I	O	Q	A	Y	A	C
E	T	W	M	V	A	F	K	I	H	X	Y	H	F	Z	H	R
R	O	L	Y	A	T	E	C	N	E	R	W	A	L	Y	C	T
T	D	A	T	X	R	Z	K	G	O	S	C	Q	L	P	T	C
S	K	C	A	S	K	C	A	B	R	E	T	R	A	U	Q	L

Board of Dewreckers
Brad Van Pelt
Brian Kelley
Crunch Bunch
Eighties
Harry Carson
Lawrence Taylor
Linebackers
Pro Bowls
Quarterback sacks

20

GIANTS ALL-TIME SCORING LEADERS

H	D	B	A	J	H	K	B	P	K	O	J	P	K	J	E	U	D	I
D	J	V	E	O	S	I	U	L	A	D	D	A	R	B	M	B	G	I
U	X	I	P	E	T	E	G	O	G	O	L	A	K	R	H	S	B	P
A	G	J	B	M	D	R	O	F	F	I	G	K	N	A	R	F	U	V
C	M	V	S	O	U	F	N	E	U	Z	G	D	V	O	Q	K	J	M
F	P	A	Y	R	Y	G	M	U	R	J	O	E	D	A	N	E	L	O
K	D	W	N	R	E	T	C	V	K	G	D	N	H	S	C	B	X	Z
C	T	H	S	I	E	T	I	J	W	K	E	N	S	T	R	O	N	G
U	K	X	L	S	T	B	S	A	J	Y	N	L	N	X	D	S	U	T
N	O	Y	Z	O	L	O	R	B	H	J	K	M	L	Z	L	B	D	Y
G	F	S	L	N	I	D	O	A	E	I	I	N	E	A	L	R	D	Q
S	Z	P	S	E	C	H	M	M	B	W	G	H	Y	J	L	X	Q	N
P	E	J	E	U	R	P	H	V	E	I	X	R	F	Q	G	U	R	T
H	L	H	F	M	T	O	O	T	Y	R	K	E	L	P	E	Z	A	U
X	O	F	T	O	A	A	T	H	N	W	R	I	L	Y	B	H	F	R
Z	E	H	N	L	L	A	R	E	M	M	U	S	T	A	P	O	Z	M

Alex Webster
Amani Toomer
Brad Daluiso
Frank Gifford
Joe Danelo
Joe Morrison
Ken Strong
Kyle Rote
Pat Summerall
Pete Gogolak
Raul Allegre
Rodney Hampton
Tiki Barber
Ward Cuff

21

PHIL SIMMS

F	I	R	S	T	P	L	A	Y	E	R	T	O	S	A	Y	K
D	O	X	M	D	B	R	X	P	Y	A	U	G	O	N	C	T
S	T	A	O	Q	J	E	O	C	W	T	A	L	K	A	J	J
C	G	R	R	W	O	H	N	B	S	G	O	L	B	D	S	G
G	N	E	E	J	G	T	Z	Y	O	L	N	R	N	U	N	F
S	I	U	H	L	B	W	L	Q	P	W	E	A	Q	G	X	T
V	O	K	E	V	E	A	K	G	P	T	L	E	Y	V	U	T
J	G	W	A	V	N	V	A	C	R	Y	Y	M	T	V	A	S
E	M	V	D	A	S	S	E	A	E	J	C	D	V	W	K	S
F	I	R	S	T	R	O	U	N	D	P	I	C	K	P	I	R
N	E	B	T	Z	O	Q	S	X	W	S	M	Q	X	M	G	R
Y	C	Q	A	X	E	I	O	G	J	P	A	C	K	I	L	C
Z	R	Q	T	Z	D	Y	Z	R	F	J	I	K	R	B	E	F
S	U	P	E	R	B	O	W	L	X	X	I	M	V	P	R	A

CBS analyst
Eleven
First player to say . . .
. . . "I'm going to . . .
. . . Disneyland!"
First-round pick
Morehead State
Pro Bowl MVP
Quarterback
Super Bowl XXI MVP

22

SUPER BOWL XLII

S	S	E	R	R	U	B	O	C	I	X	A	L	P	S	Z	L
D	K	L	H	H	C	T	A	C	T	E	M	L	E	H	H	Q
D	C	A	A	I	I	L	X	L	W	O	B	R	E	P	U	S
G	A	O	A	W	Z	S	Y	T	L	G	I	C	R	Z	P	P
M	S	T	O	I	R	T	A	P	E	H	T	M	Y	M	O	G
S	E	V	E	N	T	E	E	N	F	O	U	R	T	E	E	N
J	V	A	W	W	C	G	N	E	R	T	G	B	D	N	J	I
A	I	D	A	U	Z	A	G	C	P	R	V	C	I	L	E	N
V	F	D	Z	F	S	F	M	B	E	Z	C	B	V	L	K	N
Q	E	Q	G	N	I	L	S	E	H	T	D	Y	A	K	D	A
U	H	H	O	L	K	G	Z	J	B	O	Y	D	D	C	B	M
U	Z	A	D	W	C	F	O	Q	J	T	N	N	E	T	B	I
B	Z	E	P	A	C	S	E	T	A	E	R	G	E	H	T	L
O	E	L	C	A	R	I	M	E	L	B	U	O	D	S	B	E
U	M	T	R	U	I	P	T	G	C	C	X	A	F	U	T	D

David Tyree
"Double Miracle"
Eli Manning
Five sacks
Glendale
"Helmet Catch"
Lawrence Tynes
Plaxico Burress
Seventeen–fourteen
Super Bowl XLII
"The Great Escape"
The Patriots
"The Sling"

23

GIANTS ALL-TIME KICK AND PUNT RETURNS LEADERS

L	R	X	A	H	M	A	D	B	R	A	D	S	H	A	W	W	P	Y
E	F	E	X	L	Z	A	Z	U	Q	F	V	S	Y	Z	C	J	E	T
O	C	S	K	L	L	E	R	W	M	T	H	D	S	Q	M	K	K	T
N	J	Y	E	L	Z	E	Z	K	S	N	Y	L	D	R	N	C	R	E
B	O	E	O	M	A	Q	H	P	J	P	D	I	R	O	K	E	J	G
R	E	J	I	J	A	W	W	C	I	O	J	H	C	X	B	I	P	G
I	A	S	C	I	N	J	L	U	T	Z	N	C	H	L	P	K	D	E
G	W	S	D	H	V	I	K	E	C	I	M	E	O	N	Z	K	A	M
H	M	E	M	F	A	A	V	C	H	L	M	C	S	L	O	U	Y	E
T	Y	X	J	U	E	D	K	L	I	C	Y	N	K	P	V	P	B	V
X	A	M	Y	Q	N	V	M	H	E	D	S	E	A	Z	Z	F	J	A
D	W	I	L	L	I	E	P	O	N	D	E	R	J	I	L	A	H	D
A	F	T	Z	T	K	B	Q	O	R	P	K	A	E	I	R	N	D	W
A	L	V	I	N	G	A	R	R	E	T	T	L	T	H	K	B	X	M
K	Y	R	Y	I	A	E	Q	V	V	I	O	C	L	Z	Y	O	V	N
B	N	M	L	O	J	I	M	R	O	B	I	N	S	O	N	X	L	V

Ahmad Bradshaw
Alvin Garrett
Brian Mitchell
Chad Morton
Clarence Childs
Dave Meggett
Delvin Joyce
Dick James
Herschel Walker
Jim Robinson
Leon Bright
Mark Jones
Phil McConkey
Rondy Colbert
Willie Ponder

24

LAWRENCE TAYLOR

T	B	L	P	G	A	S	G	D	G	K	A	B	I	G	B	L	U	E
T	E	W	R	E	C	K	I	N	G	C	R	E	W	O	M	T	E	J
C	W	Q	O	E	Q	R	H	E	N	Z	U	R	Y	A	N	W	O	C
I	Y	I	F	Z	M	Y	T	X	I	S	Y	T	F	I	F	O	P	C
C	P	N	O	G	B	L	V	A	B	S	O	B	N	T	L	S	L	D
P	P	Y	O	R	E	V	I	S	N	E	F	E	D	R	M	U	Z	K
D	N	O	T	Q	O	S	P	M	C	T	T	L	L	X	V	P	L	B
V	H	E	B	Y	Q	S	V	O	U	I	Y	L	B	X	P	E	W	J
L	T	S	A	T	B	D	A	U	M	H	K	A	U	K	I	R	E	G
D	S	U	L	P	D	R	Y	E	E	Y	Y	W	X	C	Q	B	U	S
A	A	L	L	D	E	C	A	D	E	T	E	A	M	E	F	O	H	F
V	C	Z	H	C	C	L	I	T	E	N	P	R	O	B	O	W	L	S
D	V	F	O	K	L	E	D	A	Z	I	P	D	M	N	E	L	T	X
L	L	A	F	P	K	F	M	X	K	Y	L	K	C	A	N	S	O	F
P	T	H	R	I	C	E	D	E	F	E	N	S	I	V	E	P	O	Y
B	C	O	U	T	S	I	D	E	L	I	N	E	B	A	C	K	E	R

All-Decade Team
Bert Bell Award
"Big Blue . . .
. . . Wrecking Crew"
Defensive ROY
Fifty-six
NFL MVP
Nine-time All-Pro
Outside linebacker
Pro Football HOF
Ten Pro Bowls
Thrice Defensive POY
Two Super Bowls

25

GIANTS ALL-TIME RUSHING LEADERS

T	U	C	K	E	R	F	R	E	D	E	R	I	C	K	S	O	N	J
E	K	T	T	S	O	A	I	U	L	T	O	O	B	B	W	J	Y	J
C	V	U	Q	V	B	H	T	S	I	K	Q	X	S	R	V	T	A	O
E	Q	F	I	L	C	S	I	O	E	D	D	I	E	P	R	I	C	E
M	N	F	E	J	A	R	J	T	K	Z	D	V	P	U	O	K	Z	M
B	I	Y	O	R	R	H	N	T	B	G	H	Z	N	C	D	I	T	O
A	R	L	A	O	P	O	C	I	Y	O	U	K	X	P	N	B	X	R
U	X	E	M	D	E	A	N	S	D	D	D	O	L	Q	E	A	L	R
D	L	E	Z	K	N	U	Y	A	A	V	I	Z	D	B	Y	R	P	I
W	O	M	Y	C	T	O	G	N	J	P	U	J	O	S	H	B	O	S
J	F	A	T	R	E	H	R	D	G	O	L	S	W	H	A	E	I	O
I	C	N	N	V	R	I	W	E	K	Q	H	L	G	G	M	R	M	N
Y	Y	S	B	I	C	J	I	R	A	D	Q	N	I	Z	P	E	P	K
K	A	L	E	X	W	E	B	S	T	E	R	M	S	B	T	G	Y	G
S	H	O	S	Z	G	C	K	O	T	J	M	T	W	O	O	Q	A	N
D	R	O	F	F	I	G	K	N	A	R	F	D	X	P	N	L	J	B

Alex Webster
Bill Paschal
Doug Kotar
Eddie Price
Frank Gifford
Joe Morris
Joe Morrison
Ottis Anderson
Rob Carpenter
Rodney Hampton
Ron A. Johnson
Ron Dayne
Tiki Barber
Tucker Frederickson
Tuffy Leemans

26

BILL PARCELLS

T	W	I	C	E	C	O	A	C	H	O	F	T	H	E	Y	E	A	R
Z	W	Z	M	X	L	F	B	Q	E	Z	G	Y	C	T	S	H	V	X
B	Q	O	O	A	I	W	H	Z	B	U	R	O	N	H	C	G	C	Z
Z	Z	P	S	D	E	Q	I	T	S	Y	L	A	N	A	N	P	S	E
Y	F	W	A	U	W	T	Q	C	F	Q	Q	B	O	K	B	I	P	F
R	Q	B	C	N	P	R	E	C	H	X	P	C	G	Z	G	N	Z	D
D	U	U	L	K	U	E	A	D	C	I	T	A	C	I	Q	C	L	A
L	H	H	Q	E	P	T	R	K	A	S	T	O	D	Q	B	B	R	Z
A	O	F	K	D	J	J	G	B	R	C	B	A	D	L	X	B	H	V
R	A	K	I	W	Q	N	A	I	O	X	E	N	S	J	H	R	R	G
E	Y	H	V	I	X	O	F	I	B	W	M	D	E	T	D	J	S	K
W	D	Q	H	T	P	X	T	A	Y	E	L	E	L	Q	A	E	Q	G
V	F	P	D	H	Z	C	E	N	D	C	H	S	Q	L	Q	T	W	F
B	Q	T	N	B	W	N	R	K	J	G	A	T	O	R	A	D	E	A

All-Decade Team
Big Blue
ESPN analyst
First coach . . .
. . . dunked with . . .
. . . Gatorade
The Big Tuna
Twice Coach of the Year
Two Super Bowls
Wichita State

27

GIANTS ALL-TIME RECEIVING TOUCHDOWNS LEADERS

L	S	S	E	R	R	U	B	O	C	I	X	A	L	P	T	Y
I	R	V	O	R	A	V	A	B	K	R	A	M	X	Y	T	U
Y	B	E	G	I	Y	I	E	R	B	R	H	A	B	P	M	L
F	R	A	N	K	G	I	F	F	O	R	D	N	C	V	S	O
X	X	U	U	F	E	L	R	N	B	I	Q	I	C	E	T	Y
U	M	V	H	L	O	Z	T	Q	S	L	Y	T	N	E	Z	K
Y	F	E	F	E	X	H	E	T	C	U	A	O	T	F	Q	Q
T	Z	V	N	M	O	V	S	W	H	B	J	O	A	K	R	L
T	G	T	G	M	F	L	H	L	N	R	R	M	N	B	X	J
K	L	B	A	H	G	B	J	K	E	E	Q	E	C	V	Z	J
K	X	S	O	H	P	L	E	M	L	D	F	R	B	X	A	D
F	Y	H	I	A	Z	B	O	Y	K	G	X	X	I	H	A	E
M	Y	I	K	G	Y	H	K	C	E	N	O	G	T	P	S	U
Q	Z	L	M	J	O	E	M	O	R	R	I	S	O	N	E	M

Aaron Thomas
Amani Toomer
Bob Schnelker
Del Shofner
Frank Gifford
Homer Jones
Joe Morrison
Kyle Rote
Mark Bavaro
Plaxico Burress

28

TIKI BARBER

S	D	R	A	Y	L	A	T	O	T	R	E	E	R	A	C	T	S	O	M
R	Q	Z	L	J	X	J	Z	P	L	C	E	V	I	D	T	B	D	N	F
Y	R	R	A	C	R	E	P	S	D	R	A	Y	T	S	O	M	R	H	F
U	S	U	N	D	A	Y	N	I	G	H	T	F	O	O	T	B	A	L	L
T	W	E	N	T	Y	O	N	E	B	C	Y	X	R	A	C	S	Y	H	N
U	W	T	U	N	C	Y	I	E	A	E	V	U	G	I	W	J	G	K	D
T	X	L	S	W	I	Q	E	I	V	A	P	A	K	N	A	L	N	I	N
O	E	Z	A	I	D	N	P	S	F	K	N	O	S	B	R	G	I	I	F
K	S	Y	I	K	M	G	G	H	R	M	B	B	L	O	X	G	H	Y	O
L	W	Y	N	S	L	W	O	B	O	R	P	E	E	R	H	T	S	B	U
K	K	T	I	P	R	C	B	L	A	I	P	A	F	W	I	C	U	H	R
C	R	W	G	J	L	H	K	I	R	C	S	I	S	L	I	H	R	S	D
B	K	H	R	W	B	X	M	U	G	N	K	W	R	M	R	L	T	G	N
S	N	O	I	T	P	E	C	E	R	R	E	E	R	A	C	T	S	O	M
O	R	Y	V	S	L	A	E	B	T	I	O	Q	T	S	A	P	O	L	O
D	O	X	C	S	D	T	G	N	I	H	S	U	R	T	S	O	M	A	O

Most career receptions
Most career total yards
Most rushing TDs
Most rushing yards
Most yards per carry
Running back
Sunday Night Football
Three Pro Bowls
Twenty-one
Virginia

29

HARRY CARSON

R	Y	C	Q	D	C	A	X	V	S	F	Q	V	V	I	B	S	X	M
U	C	O	L	L	E	G	E	F	O	O	T	B	A	L	L	H	O	F
N	X	R	H	W	N	E	P	U	S	L	W	T	S	Z	Z	C	C	O
S	O	U	T	H	C	A	R	O	L	I	N	A	S	T	A	T	E	H
T	I	A	R	B	V	A	E	H	R	Q	A	Q	W	Y	Y	V	H	L
O	Z	Z	B	Y	L	X	U	E	T	D	R	I	T	D	S	H	P	L
P	R	N	A	L	U	G	K	E	L	Y	T	S	T	U	O	L	L	A
P	G	S	P	M	D	C	N	B	C	H	T	N	Q	M	R	Q	A	B
E	S	R	T	I	A	W	E	N	Z	G	T	F	H	I	B	S	K	T
R	O	S	G	B	C	Q	L	Q	M	O	A	U	I	L	J	X	Z	O
S	U	P	E	R	B	O	W	L	C	H	A	M	P	F	F	B	C	O
U	C	N	I	N	E	P	R	O	B	O	W	L	S	Q	S	D	X	F
F	I	I	Y	H	T	W	O	Z	Q	H	L	Z	F	Y	G	J	J	O
L	E	D	G	I	A	N	T	S	I	N	T	A	C	K	L	E	S	R
C	Z	I	C	N	L	R	G	T	G	Q	U	R	F	O	Z	E	S	P
W	Q	T	P	Z	C	A	J	W	U	Y	F	N	K	U	J	Y	F	C

"All-out" style
College Football HOF
Fifty-three
Four All-Pros
Led Giants in tackles
Linebacker
Nine Pro Bowls
Pro Football HOF
Run stopper
South Carolina State
Super Bowl champ

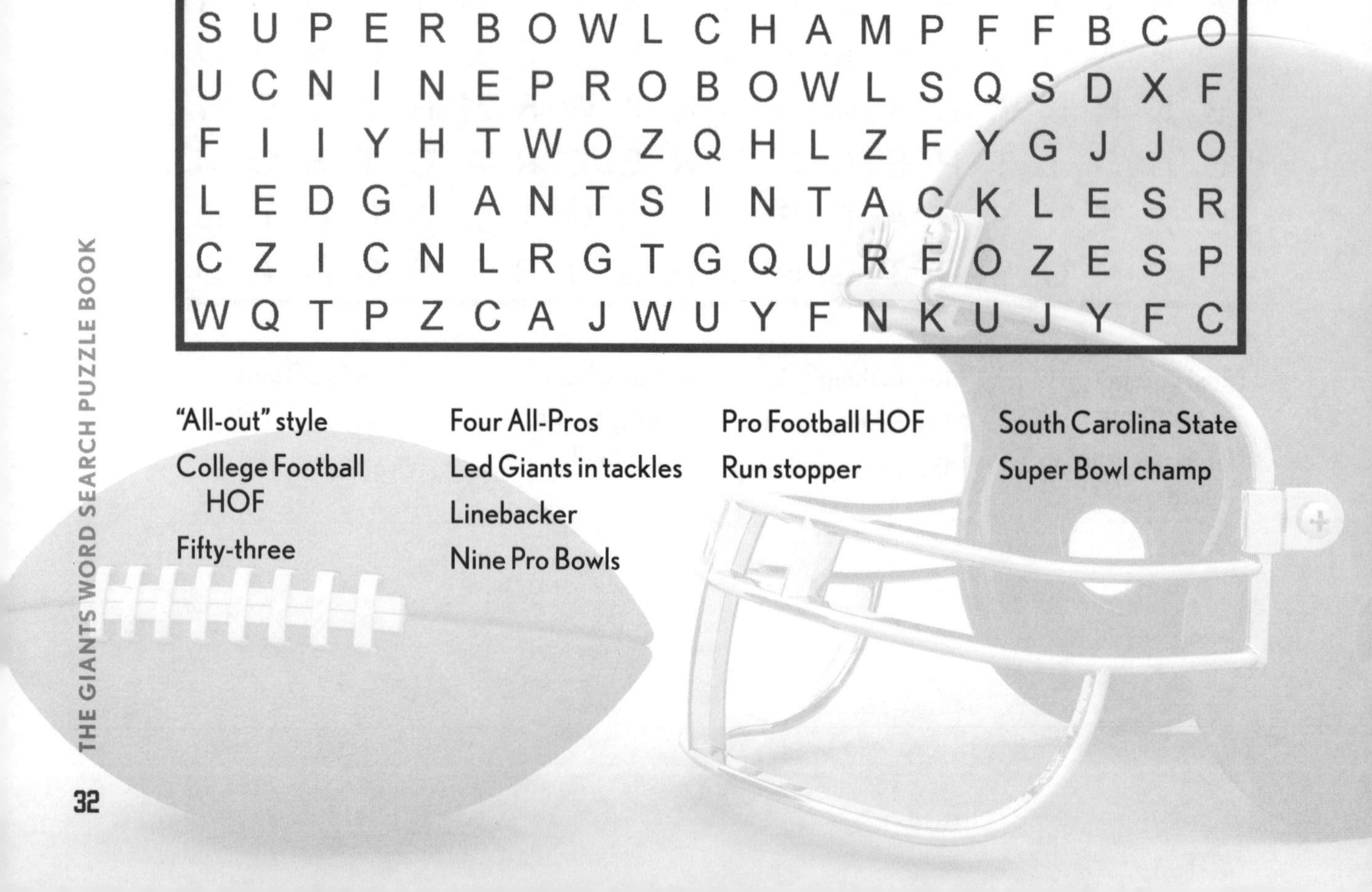

30

GIANTS ALL-TIME PASSER RATINGS LEADERS

F	N	L	L	E	N	A	K	Y	N	N	A	D	O	X	K	B	X	W	X	Y
H	P	S	C	R	E	L	T	E	T	S	O	H	F	F	E	J	R	I	T	C
F	F	I	N	N	C	B	K	B	D	O	P	A	H	G	J	W	K	O	H	Y
R	R	L	O	L	O	Y	O	A	W	A	Y	P	Q	I	B	S	K	A	F	X
E	W	A	T	G	R	T	E	Y	Q	R	K	T	C	K	W	B	R	D	O	H
N	F	N	N	N	Y	N	R	Y	E	A	R	L	M	O	R	R	A	L	L	N
N	H	R	E	E	S	A	A	O	W	S	E	U	N	V	Y	K	U	C	K	C
U	C	E	K	M	G	T	T	A	M	W	M	A	Y	N	W	I	V	E	E	A
R	I	V	R	L	I	D	L	X	K	G	D	M	E	Q	Y	C	R	A	N	K
B	R	O	A	T	Y	P	E	W	K	D	I	W	I	Q	T	R	Z	J	T	U
T	N	G	T	U	F	F	Y	L	E	E	M	A	N	S	Y	A	Y	V	G	R
T	I	L	N	E	L	T	P	E	T	A	N	H	R	C	L	S	O	A	R	T
O	E	U	A	T	M	I	Z	A	N	U	M	P	O	C	H	I	G	N	A	W
C	H	A	R	L	I	E	C	O	N	E	R	L	Y	F	W	P	H	C	H	A
S	N	P	F	N	R	F	E	H	J	Q	L	F	V	P	T	E	T	P	A	R
P	O	X	G	N	I	N	N	A	M	I	L	E	F	V	Z	O	B	B	M	N
U	D	A	V	E	B	R	O	W	N	K	J	P	P	E	I	J	U	N	D	E
B	F	L	X	A	B	W	K	S	N	O	S	N	H	O	J	Y	D	N	A	R

Charlie Conerly
Craig Morton
Danny Kanell
Dave Brown
Don Heinrich
Earl Morrall
Ed Danowski
Eli Manning
Fran Tarkenton
Gary Wood
Harry Newman
Jeff Hostetler
Jeff Rutledge
Joe Pisarcik
Kent Graham
Kerry Collins
Kurt Warner
Norm Snead
Paul Governali
Phil Simms
Randy Johnson
Scott Brunner
Tuffy Leemans
Y.A. Tittle

SOLUTION

1 GIANTS HALL OF FAMERS

V	O	R	R	O	B	U	S	T	E	L	L	I	P	R	U	G
K	F	R	I	E	D	M	A	N	H	B	W	O	F	E	Z	V
M	W	G	N	L	T	R	P	M	I	O	A	D	L	B	H	F
C	Z	K	U	H	K	S	B	A	D	G	R	O	A	R	G	S
E	W	C	A	E	U	D	I	I	A	O	J	P	H	E	I	N
L	G	K	N	K	G	B	M	E	F	U	K	A	E	H	D	C
H	D	T	R	B	B	Z	B	F	M	E	L	P	R	I	Y	D
E	O	Z	A	K	P	V	I	A	A	N	T	I	T	T	L	E
N	N	U	L	Y	J	G	Y	C	R	B	I	U	Y	G	Q	O
N	H	W	S	X	L	N	S	J	A	D	N	E	N	O	M	Y
Y	B	Z	O	P	A	O	T	P	H	N	B	O	W	U	O	J
T	R	B	N	R	N	Y	R	N	E	H	R	E	Y	Y	Z	G
J	D	H	D	K	B	K	T	L	Z	T	N	B	H	U	F	F
H	R	X	A	A	Y	M	L	Y	S	Q	Z	P	I	L	G	M

Badgro
Brown
Csonka
Flaherty
Friedman
Gifford
Guyon
Hein
Henry
Herber
Hubbard
Huff
Mara
Maynard
McElhenny
Owen
Robustelli
Strong
Tarkenton
Taylor
Thorpe
Tittle
Tunnell
Weinmeister

SOLUTION

2 THE SNEAKERS GAME

A	C	S	R	A	E	B	O	G	A	C	I	H	C	I	Z	U
S	A	I	K	S	R	U	G	A	N	O	K	N	O	R	B	I
N	F	L	C	H	A	M	P	I	O	N	S	H	I	P	C	T
E	I	O	Y	H	K	R	X	G	L	D	W	F	E	N	T	D
A	M	A	N	H	A	T	T	A	N	C	O	L	L	E	G	E
K	C	V	R	L	O	S	Z	U	Q	B	N	O	I	L	T	A
E	T	W	K	G	V	V	O	C	O	N	A	P	R	W	B	D
R	T	P	F	W	N	R	K	M	U	L	D	X	R	C	V	U
S	Z	N	I	V	G	I	O	H	P	R	D	S	Q	Q	F	V
G	M	L	F	O	K	L	Z	R	G	T	E	B	R	D	K	H
A	M	E	L	H	E	I	N	E	M	E	L	G	Q	Z	H	J
M	W	O	Q	N	T	O	I	K	E	N	S	T	R	O	N	G
E	P	V	D	U	T	S	Q	C	H	R	L	Y	B	Q	Z	U
V	T	A	S	N	A	I	K	N	A	R	F	E	K	I	Z	X

Bo Molenda
Bronko Nagurski
Chicago Bears
Ed Danowski
Freezing rain
Ike Frankian
Ken Strong
Manhattan College
Mel Hein
NFL Championship
Polo Grounds
Sneakers Game

SOLUTION

3 SUPER BOWL XXI

A	O	J	F	S	Z	U	K	L	W	U	M	N	H	T	B	F
H	T	A	B	E	D	A	R	O	T	A	G	T	S	R	I	F
Y	N	H	Z	N	W	B	X	K	R	P	O	H	W	M	X	A
R	O	S	E	B	O	W	L	K	J	J	L	E	P	G	X	S
A	S	G	X	B	X	N	B	X	M	H	R	H	H	E	L	M
U	R	I	L	K	R	A	F	Q	K	C	I	R	I	O	W	T
L	E	J	P	V	V	O	K	M	G	L	L	J	L	R	O	T
A	D	X	O	A	P	R	N	N	M	B	B	Z	S	G	B	A
L	N	M	R	E	R	L	I	C	Q	W	H	Z	I	E	R	W
L	A	O	U	F	M	K	C	S	O	L	V	U	M	M	E	O
E	S	J	V	D	C	O	F	C	B	S	Y	Q	M	A	P	M
G	I	H	K	E	N	P	R	C	B	D	M	U	S	R	U	E
R	T	E	R	K	A	N	B	R	J	M	F	M	B	T	S	K
E	T	W	E	N	T	Y	T	H	I	R	T	Y	N	I	N	E
J	O	Y	E	B	M	N	F	C	T	S	E	D	X	N	V	Z

First Gatorade bath
George Martin
Joe Morris
Mark Bavaro
Ottis Anderson
Phil McConkey
Phil Simms
Raul Allegre
Rose Bowl
Super Bowl XXI
The Broncos
Twenty-thirty-nine
Wrecking Crew
Zeke Mowatt

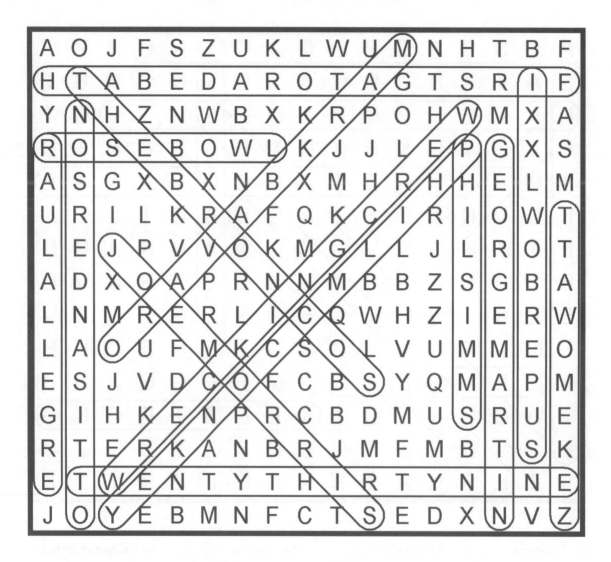

SOLUTION

4 MICHAEL STRAHAN

C	L	W	O	B	O	R	P	E	M	I	T	N	E	V	E	S
S	U	P	E	R	B	O	W	L	C	H	A	M	P	N	B	F
D	U	V	Y	Y	P	N	L	E	X	R	B	T	G	E	Z	R
E	B	J	R	O	F	L	X	F	E	F	E	B	N	Z	W	Y
F	D	T	E	P	S	J	L	H	V	A	Y	P	I	D	W	L
E	U	N	D	E	B	O	S	A	M	D	R	G	T	M	P	C
N	T	E	A	V	G	U	F	X	E	O	X	K	N	C	G	I
S	U	A	E	I	R	T	K	T	S	M	O	Y	E	E	Y	I
I	C	B	L	S	G	X	I	V	L	S	I	S	L	C	H	J
V	M	H	S	N	I	I	S	C	K	V	W	T	E	Y	U	N
E	N	A	K	E	X	J	K	Q	E	A	T	E	R	N	O	J
E	P	C	C	F	O	W	T	Y	T	E	N	I	N	U	K	C
N	O	S	A	E	S	E	L	G	N	I	S	L	U	C	O	W
D	T	H	S	D	Y	A	D	N	U	S	L	F	N	X	O	F

Defensive end
Defensive POY
Four-time All-Pro
FOX NFL Sunday
Ninety-two
Pass rusher
"Pros vs. Joes"
Seven-time Pro Bowl
Single-season...
...sacks leader
Super Bowl champ
Unrelenting

SOLUTION

5 GIANTS ALL-TIME RECEIVING LEADERS

F	K	G	I	Z	O	F	R	A	N	K	G	I	F	F	O	R	D	A
K	Y	L	E	R	O	T	E	A	M	W	E	K	Q	V	N	F	Q	H
N	O	G	W	Z	Q	R	K	R	S	A	N	E	K	X	Y	Z	E	Y
D	R	T	R	W	M	E	C	O	C	H	N	H	N	U	G	H	A	A
Z	A	S	K	F	N	N	U	N	T	I	K	I	B	A	R	B	E	R
D	V	D	E	T	F	F	T	T	S	S	X	L	T	C	I	N	R	G
M	A	I	N	G	R	O	B	H	A	P	C	L	I	O	O	M	F	T
L	B	A	X	Q	Q	H	O	O	L	U	G	I	S	S	O	L	K	S
F	K	K	K	P	T	S	B	M	X	Z	U	A	I	Y	T	M	M	E
P	R	Y	A	W	O	L	L	A	C	S	I	R	H	C	F	C	E	N
H	A	L	E	X	W	E	B	S	T	E	R	D	Y	A	X	X	M	R
P	M	F	X	Z	V	D	H	L	F	O	U	Z	V	Q	B	I	K	A
T	I	Q	D	A	Y	X	Z	M	M	K	Z	P	A	K	F	S	C	E
F	I	S	G	H	N	K	D	E	Q	O	W	R	N	X	K	V	G	I
D	P	L	A	X	I	C	O	B	U	R	R	E	S	S	M	E	I	D
B	L	C	B	U	P	J	E	R	E	M	Y	S	H	O	C	K	E	Y

Aaron Thomas
Alex Webster
Amani Toomer
Bob Tucker
Chris Calloway
Del Shofner
Earnest Gray
Frank Gifford
Ike Hilliard
Jeremy Shockey
Joe Morrison
Kyle Rote
Mark Bavaro
Plaxico Burress
Tiki Barber

SOLUTION

6 FRANK GIFFORD

Y	S	R	P	M	Q	L	N	G	G	R	V	J	U	P	M	T	H	Y
R	Z	B	V	A	U	S	W	W	G	L	D	W	R	R	H	P	V	Q
Y	T	P	V	E	D	G	I	C	D	V	Q	O	F	O	A	T	N	I
X	E	R	N	T	F	J	W	X	Y	V	B	H	N	F	L	M	V	P
F	I	P	Y	E	V	L	S	U	T	O	Z	A	O	O	F	J	T	X
Q	G	D	H	D	S	S	Q	Y	W	I	M	N	N	O	B	X	G	M
Q	H	N	I	A	T	A	I	L	O	U	M	T	P	T	A	V	O	Q
L	T	Z	V	C	D	V	M	X	O	I	T	E	V	B	C	J	M	O
W	P	M	S	E	H	V	Q	W	T	N	B	H	A	A	K	D	T	O
E	R	B	R	D	P	G	A	P	R	E	K	N	A	L	F	R	R	J
F	O	H	L	L	A	B	T	O	O	F	E	G	E	L	L	O	C	E
A	B	Z	J	L	V	C	U	E	K	M	L	N	G	H	X	P	G	H
O	O	M	M	A	C	J	F	K	S	C	T	O	W	O	S	G	R	F
Q	W	C	L	X	M	T	H	G	A	C	D	H	G	F	C	Y	I	O
L	L	A	B	T	O	O	F	T	H	G	I	N	Y	A	D	N	O	M
X	S	O	U	T	H	E	R	N	C	A	L	I	F	O	R	N	I	A

All-Decade Team
College Football HOF
Eight Pro Bowls
Flanker
Halfback
Monday Night Football
NFL MVP
Pro Bowl MVP
Pro Football HOF
Six-time All-Pro
Sixteen
Southern California

SOLUTION

7 COACHES

L	P	G	R	N	Y	N	R	X	L	X	A	W	F	U	B	W
T	X	B	U	I	A	L	E	X	A	N	D	E	R	W	P	P
O	P	I	I	L	V	M	G	W	M	R	J	B	I	V	D	A
I	M	N	S	H	C	V	R	Z	O	Q	W	S	E	L	O	R
W	P	I	B	G	M	Y	A	E	S	X	E	T	D	G	Z	C
P	Q	K	A	U	Q	U	P	I	H	V	G	E	M	H	W	E
T	Y	E	W	O	K	N	S	F	E	S	M	R	A	V	Z	L
Q	X	C	W	C	D	S	N	E	C	L	I	N	N	D	L	L
J	I	E	O	A	N	D	R	E	W	S	D	B	H	E	J	S
Z	J	U	A	I	B	M	A	R	V	L	L	E	W	L	O	F
X	J	J	K	U	R	E	G	I	E	T	T	O	P	U	Y	K
J	B	R	Y	P	K	K	H	Y	D	X	H	A	F	S	W	V
L	E	S	S	A	F	Y	Q	A	C	L	B	P	F	L	G	U
P	I	Z	P	U	X	D	B	V	V	M	Z	H	J	M	Q	V

Alexander
Andrews
Arnsparger
Coughlin
Fassel
Folwell
Friedman
Handley
Howell
McVay
Owen
Parcells
Perkins
Potteiger
Reeves
Sherman
Webster

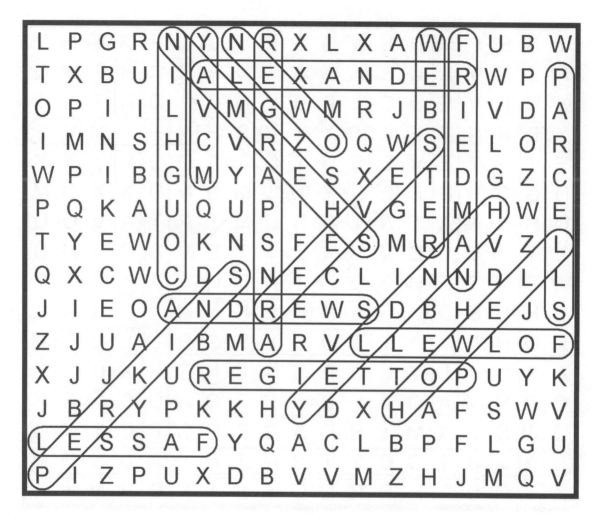

SOLUTION

8 GIANTS ALL-TIME RUSHING TOUCHDOWNS LEADERS

W	W	A	R	B	W	B	C	N	V	R	S	C	I	W	Q	Y	S	P
C	J	C	M	E	E	D	Z	M	J	B	L	E	L	O	W	V	M	W
Z	Q	V	V	B	C	P	N	X	V	Y	D	Y	U	Q	N	B	T	N
F	I	J	E	T	I	K	I	B	A	R	B	E	R	A	I	O	B	R
R	U	V	X	D	R	A	L	M	H	P	A	S	V	L	I	R	O	E
A	K	W	V	M	P	W	B	N	Y	Z	J	M	L	N	A	D	W	T
N	L	H	N	W	E	R	Z	H	T	S	K	P	X	N	N	L	H	R
K	Q	E	D	T	I	O	T	T	I	S	A	N	D	E	R	S	O	N
G	W	D	X	I	D	F	C	R	W	S	D	O	Y	T	Q	N	F	X
I	F	O	A	W	D	F	R	B	C	B	N	H	G	A	J	X	C	X
F	F	F	W	S	E	O	L	H	P	J	A	N	P	O	X	E	T	M
F	U	G	L	W	M	B	A	A	A	M	Z	F	H	H	H	E	J	K
O	L	P	G	E	L	L	S	C	P	X	Q	N	L	I	V	W	B	M
R	U	D	O	U	G	K	O	T	A	R	S	F	E	N	D	E	C	W
D	A	J	G	D	H	B	O	D	E	O	T	P	W	N	H	Z	V	P
J	G	K	T	U	S	N	V	C	N	R	H	U	C	Z	Z	P	Z	E

Alex Webster
Bill Paschal
Brandon Jacobs
Doug Kotar
Eddie Price
Frank Gifford
Joe Morris
Ottis Anderson
Rodney Hampton
Ron Johnson
Tiki Barber

SOLUTION

9 ROSEY BROWN

K	Z	R	P	Z	Y	M	F	Z	Y	V	C	Q	C	L	A	P
E	L	K	C	A	T	E	V	I	S	N	E	F	F	O	R	G
T	P	A	S	S	P	R	O	T	E	C	T	O	R	O	P	L
A	L	L	D	E	C	A	D	E	T	E	A	M	F	J	J	X
T	J	L	Y	B	V	D	P	R	G	O	S	O	I	C	P	X
S	V	T	N	I	N	E	P	R	O	B	O	W	L	S	F	I
N	L	I	N	E	M	A	N	O	F	T	H	E	Y	E	A	R
A	U	M	L	G	E	N	G	T	B	P	H	A	A	K	A	I
G	J	E	L	Y	B	S	D	A	Y	Y	J	T	T	C	P	R
R	M	T	E	R	L	G	L	I	H	N	B	Z	A	N	N	J
O	R	E	K	C	O	L	B	D	L	E	I	F	N	W	O	D
M	H	A	F	X	H	F	C	R	L	O	F	N	A	R	L	W
H	N	M	D	O	E	M	I	S	B	Z	Q	X	E	A	B	X
G	K	C	F	X	T	N	B	R	B	A	N	F	Z	J	W	A

All-Decade Team
All-Time Team
Downfield blocker
Lineman of the Year
Morgan State
Nine Pro Bowls
Offensive tackle
Pass protector
Pro Football HOF
Seventy-nine

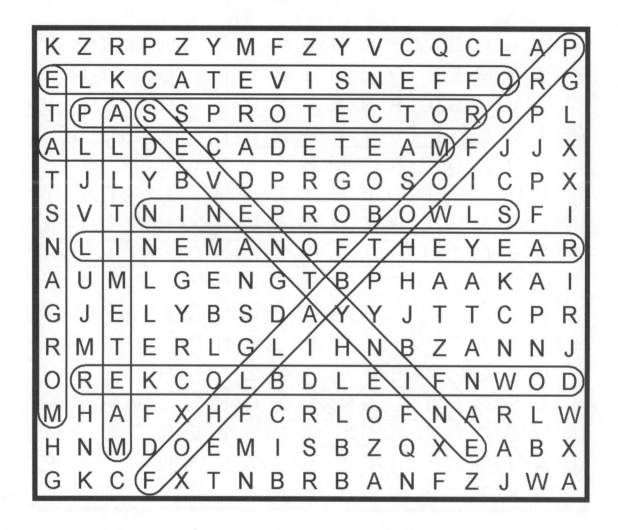

SOLUTION

10 NO PLACE LIKE HOME

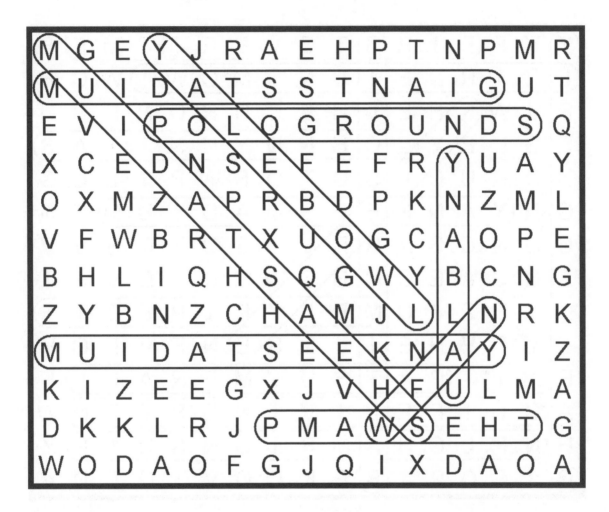

M	G	E	Y	J	R	A	E	H	P	T	N	P	M	R
M	U	I	D	A	T	S	S	T	N	A	I	G	U	T
E	V	I	P	O	L	O	G	R	O	U	N	D	S	Q
X	C	E	D	N	S	E	F	E	F	R	Y	U	A	Y
O	X	M	Z	A	P	R	B	D	P	K	N	Z	M	L
V	F	W	B	R	T	X	U	O	G	C	A	O	P	E
B	H	L	I	Q	H	S	Q	G	W	Y	B	C	N	G
Z	Y	B	N	Z	C	H	A	M	J	L	L	N	R	K
M	U	I	D	A	T	S	E	E	K	N	A	Y	I	Z
K	I	Z	E	E	G	X	J	V	H	F	U	L	M	A
D	K	K	L	R	J	P	M	A	W	S	E	H	T	G
W	O	D	A	O	F	G	J	Q	I	X	D	A	O	A

Giants Stadium
Polo Grounds
Shea Stadium
The Swamp
UAlbany
WFAN
Yale Bowl
Yankee Stadium

SOLUTION

11 THE GREATEST GAME EVER PLAYED

Y	V	F	F	I	R	S	T	O	V	E	R	T	I	M	E	S
L	L	I	R	D	E	T	U	N	I	M	O	W	T	W	O	H
R	J	W	K	H	E	L	H	V	C	U	R	O	N	E	S	Q
E	G	U	P	Y	J	O	H	N	N	Y	U	N	I	T	A	S
N	Q	R	U	C	L	C	O	T	O	F	W	P	Y	L	U	S
O	N	Y	A	N	K	E	E	S	T	A	D	I	U	M	T	N
C	D	N	C	S	A	R	R	V	Y	S	O	T	Q	S	V	V
E	Q	C	A	E	O	O	H	O	W	M	J	S	D	V	I	I
I	I	N	Z	J	O	M	E	L	T	R	I	P	L	E	T	T
L	Y	F	V	H	E	I	J	D	S	E	N	E	V	L	G	H
R	I	I	T	P	A	T	S	U	M	M	E	R	A	L	L	F
A	C	L	I	F	F	L	I	V	I	N	G	S	T	O	N	W
H	N	F	L	C	H	A	M	P	I	O	N	S	H	I	P	Y
C	J	C	Q	P	J	B	E	K	C	Q	V	T	Q	L	D	V

Baltimore Colts
Charlie Conerly
Cliff Livingston
First overtime
Johnny Unitas
Kyle Rote
Mel Triplett
NFL Championship
Pat Summerall
Two-minute drill
Yankee Stadium

SOLUTION

12 GIANTS ALL-TIME PASSING LEADERS

D	N	J	D	A	E	N	S	M	R	O	N	H	K	O	K	F
J	O	E	P	I	S	A	R	C	I	K	O	I	S	U	E	Y
E	T	J	H	T	C	M	V	S	B	P	T	A	J	I	N	K
F	N	F	D	R	O	R	M	T	C	F	R	L	S	U	T	E
F	E	T	A	E	T	D	L	I	J	G	O	K	Q	Y	G	R
H	K	O	N	N	T	A	D	Y	S	G	M	U	A	I	R	R
O	R	N	N	X	B	V	I	C	G	L	G	T	U	V	A	Y
S	A	B	Y	L	R	E	N	O	C	E	I	L	R	A	H	C
T	T	M	K	V	U	M	X	Y	S	T	A	H	Z	I	A	O
E	N	M	A	V	N	B	S	E	T	H	R	J	P	U	M	L
T	A	X	N	T	N	R	H	L	E	X	C	U	C	R	O	L
L	R	Y	E	Z	E	O	E	D	D	A	N	O	W	S	K	I
E	F	R	L	J	R	W	F	X	H	M	A	P	P	H	F	N
R	N	K	L	V	G	N	I	N	N	A	M	I	L	E	G	S

Charlie Conerly
Craig Morton
Danny Kanell
Dave M. Brown
Ed Danowski
Eli Manning
Fran Tarkenton
Jeff Hostetler
Joe Pisarcik
Kent Graham
Kerry Collins
Norm Snead
Phil Simms
Scott Brunner
Y.A. Tittle

SOLUTION

13 GIANTS RETIRED NUMBERS

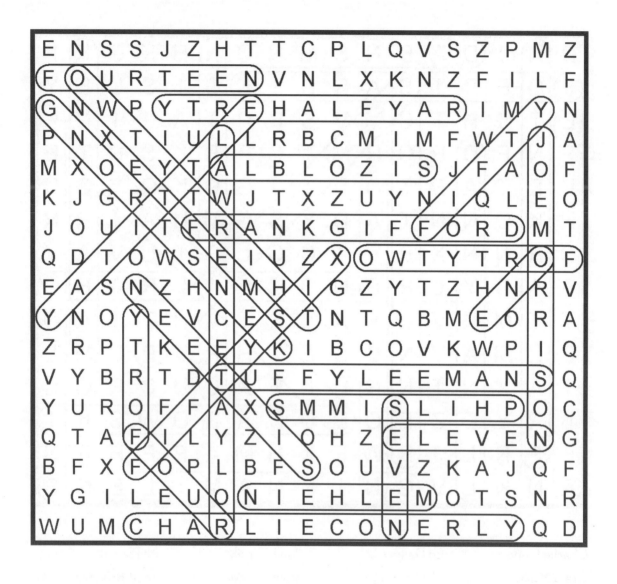

E	N	S	S	J	Z	H	T	T	C	P	L	Q	V	S	Z	P	M	Z
F	O	U	R	T	E	E	N	V	N	L	X	K	N	Z	F	I	L	F
G	N	W	P	Y	T	R	E	H	A	L	F	Y	A	R	I	M	Y	N
P	N	X	T	I	U	L	L	R	B	C	M	I	M	F	W	T	J	A
M	X	O	E	Y	T	A	L	B	L	O	Z	I	S	J	F	A	O	F
K	J	G	R	T	T	W	J	T	X	Z	U	Y	N	I	Q	L	E	O
J	O	U	I	T	F	R	A	N	K	G	I	F	F	O	R	D	M	T
Q	D	T	O	W	S	E	I	U	Z	X	O	W	T	Y	T	R	O	F
E	A	S	N	Z	H	N	M	H	I	G	Z	Y	T	Z	H	N	R	V
Y	N	O	Y	E	V	C	E	S	T	N	T	Q	B	M	E	O	R	A
Z	R	P	T	K	E	E	Y	K	I	B	C	O	V	K	W	P	I	Q
V	Y	B	R	T	D	T	U	F	F	Y	L	E	E	M	A	N	S	Q
Y	U	R	O	F	F	A	X	S	M	M	I	S	L	I	H	P	O	C
Q	T	A	F	I	L	Y	Z	I	O	H	Z	E	L	E	V	E	N	G
B	F	X	F	O	P	L	B	F	S	O	U	V	Z	K	A	J	Q	F
Y	G	I	L	E	U	O	N	I	E	H	L	E	M	O	T	S	N	R
W	U	M	C	H	A	R	L	I	E	C	O	N	E	R	L	Y	Q	D

One
Ray Flaherty

Four
Tuffy Leemans

Seven
Mel Hein

Eleven
Phil Simms

Fourteen
Y.A. Tittle

Sixteen
Frank Gifford

Thirty-two
Al Blozis

Forty
Joe Morrison

Forty-two
Charlie Conerly

Fifty
Ken Strong

Fifty-six
Lawrence Taylor

SOLUTION

14 SUPER BOWL XXV

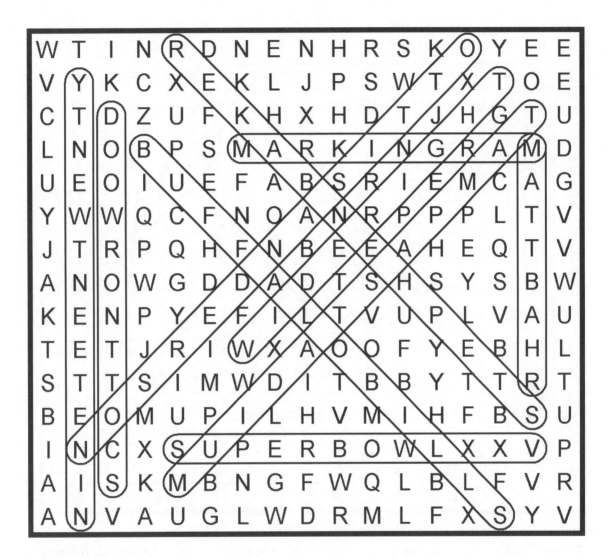

W	T	I	N	R	D	N	E	N	H	R	S	K	O	Y	E	E
V	Y	K	C	X	E	K	L	J	P	S	W	T	X	T	O	E
C	T	D	Z	U	F	K	H	X	H	D	T	J	H	G	T	U
L	N	O	B	P	S	M	A	R	K	I	N	G	R	A	M	D
U	E	O	I	U	E	F	A	B	S	R	I	E	M	C	A	G
Y	W	W	Q	C	F	N	O	A	N	R	P	P	P	L	T	V
J	T	R	P	Q	H	F	N	B	E	E	A	H	E	Q	T	V
A	N	O	W	G	D	D	A	D	T	S	H	S	Y	S	B	W
K	E	N	P	Y	E	F	I	L	T	V	U	P	L	V	A	U
T	E	T	J	R	I	W	X	A	O	O	F	Y	E	B	H	L
S	T	T	S	I	M	W	D	I	T	B	B	Y	T	T	R	T
B	E	O	M	U	P	I	L	H	V	M	I	H	F	B	S	U
I	N	C	X	S	U	P	E	R	B	O	W	L	X	X	V	P
A	I	S	K	M	B	N	G	F	W	Q	L	B	L	F	V	R
A	N	V	A	U	G	L	W	D	R	M	L	F	X	S	Y	V

Buffalo Bills
Mark Ingram
Matt Bahr
Nineteen–twenty
Ottis Anderson
Scott Norwood
Stephen Baker
Super Bowl XXV
Tampa Stadium
Wide right

SOLUTION

15 GIANTS ALL-TIME KICKING AND PUNTING LEADERS

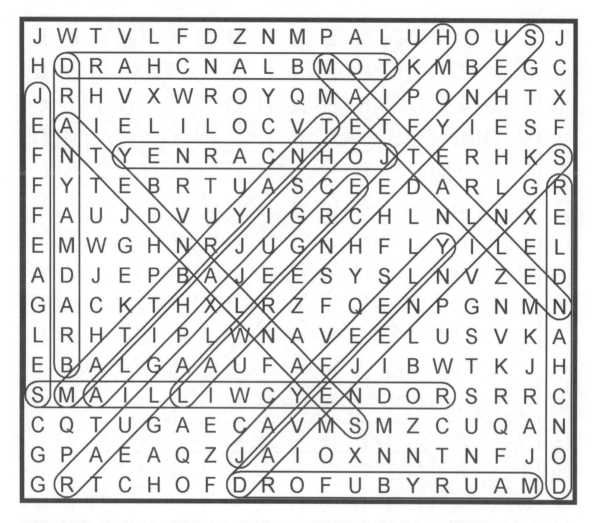

J	W	T	V	L	F	D	Z	N	M	P	A	L	U	H	O	U	S	J
H	D	R	A	H	C	N	A	L	B	M	O	T	K	M	B	E	G	C
J	R	H	V	X	W	R	O	Y	Q	M	A	I	P	O	N	H	T	X
E	A	I	E	L	I	L	O	C	V	T	E	T	F	Y	I	E	S	F
F	N	T	Y	E	N	R	A	C	N	H	O	J	T	E	R	H	K	S
F	Y	T	E	B	R	T	U	A	S	C	E	E	D	A	R	L	G	R
F	A	U	J	D	V	U	Y	I	G	R	C	H	L	N	L	N	X	E
E	M	W	G	H	N	R	J	U	G	N	H	F	L	Y	I	L	E	L
A	D	J	E	P	B	A	J	E	E	S	Y	S	L	N	V	Z	E	D
G	A	C	K	T	H	X	L	R	Z	F	Q	E	N	P	G	N	M	N
L	R	H	T	I	P	L	W	N	A	V	E	E	L	U	S	V	K	A
E	B	A	L	G	A	A	U	F	A	F	J	I	B	W	T	K	J	H
S	M	A	I	L	L	I	W	C	Y	E	N	D	O	R	S	R	R	C
C	Q	T	U	G	A	E	C	A	V	M	S	M	Z	C	U	Q	A	N
G	P	A	E	A	Q	Z	J	A	I	O	X	N	N	T	N	F	J	O
G	R	T	C	H	O	F	D	R	O	F	U	B	Y	R	U	A	M	D

Ali Haji-Sheikh
Brad Maynard
Dave Jennings
Don Chandler
Jay Feely
Jeff Feagles
John Carney
Lawrence Tynes
Matt Allen
Matt Bryant
Maury Buford
Raul Allegre
Rodney C. Williams
Sean Landeta
Tom Blanchard

SOLUTION

16 GIANTS ALL-TIME INTERCEPTIONS LEADERS

K	S	O	W	D	L	H	P	H	L	Y	F	V	N	C	E	F
F	S	P	H	I	L	L	I	P	P	I	S	P	A	R	K	S
N	Y	V	V	C	L	W	E	B	O	W	W	R	W	T	T	D
A	R	K	M	K	J	L	L	N	C	I	L	K	H	N	N	R
G	N	Y	I	L	I	E	I	M	N	L	L	Y	Z	N	X	A
A	O	T	X	Y	M	F	M	E	O	U	C	R	V	I	F	N
E	O	K	A	N	M	D	V	C	W	R	T	D	B	R	X	I
R	Y	W	F	C	Y	R	K	E	Y	I	J	N	R	P	Y	K
K	O	K	N	H	P	H	N	L	K	Z	L	A	E	F	B	Y
N	O	S	K	C	A	J	Y	R	R	E	T	L	R	L	O	R
A	A	C	I	R	T	D	F	I	U	T	B	M	I	E	M	R
R	L	V	T	S	T	J	S	I	G	J	O	O	H	A	O	E
F	X	U	U	H	O	D	O	A	S	O	T	T	W	U	M	T
N	O	T	S	G	N	I	V	I	L	E	I	W	O	H	R	S

Carl Lockhart
Dick Lynch
Emlen Tunnell
Frank Reagan
Howie Livingston
Jimmy Patton
Phillippi Sparks
Terry Jackson
Terry Kinard
Tom Landry
Willie Williams

SOLUTION

17 ELI MANNING

K	C	I	P	L	L	A	R	E	V	O	T	S	R	I	F	Q
C	O	D	R	M	F	P	L	R	C	V	J	V	P	A	E	Z
A	T	H	E	H	E	L	M	E	T	C	A	T	C	H	D	O
B	T	C	J	W	I	S	T	I	S	P	R	F	G	O	D	C
R	O	F	I	F	O	J	V	N	V	L	C	W	X	N	A	R
E	N	E	W	O	R	L	E	A	N	S	P	V	U	E	Y	V
T	B	G	O	Y	V	H	E	F	G	R	C	C	R	T	D	A
R	O	X	I	O	G	M	D	M	O	M	S	P	Q	R	T	E
A	W	U	X	Q	L	M	Q	B	I	U	W	M	Z	E	G	Y
U	L	G	G	B	O	H	O	G	L	S	U	B	W	B	L	E
Q	M	S	L	R	L	W	N	P	S	S	S	T	D	M	W	E
P	V	M	I	I	L	X	L	W	O	B	R	E	P	U	S	G
P	P	U	Z	E	Y	X	Y	C	K	K	U	V	T	N	K	L
E	D	A	R	T	S	R	E	V	I	R	P	I	L	I	H	P

Cotton Bowl MVP
First overall pick
New Orleans
Number ten
Ole Miss
Philip Rivers trade
Pro Bowler
Quarterback
Super Bowl XLII MVP
"The Helmet Catch"

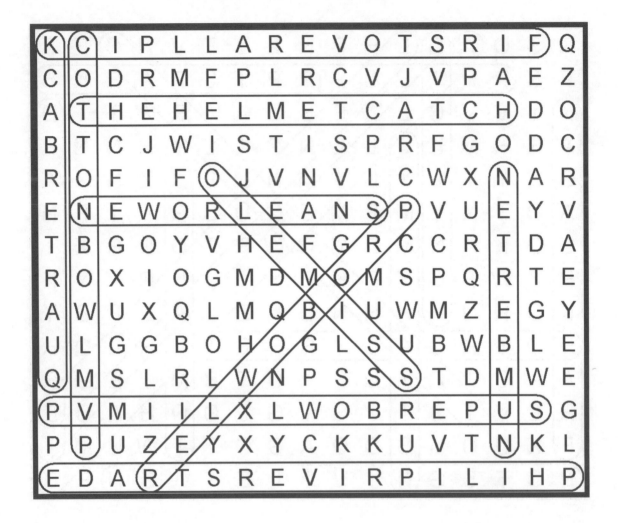

SOLUTION

18 WELLINGTON MARA

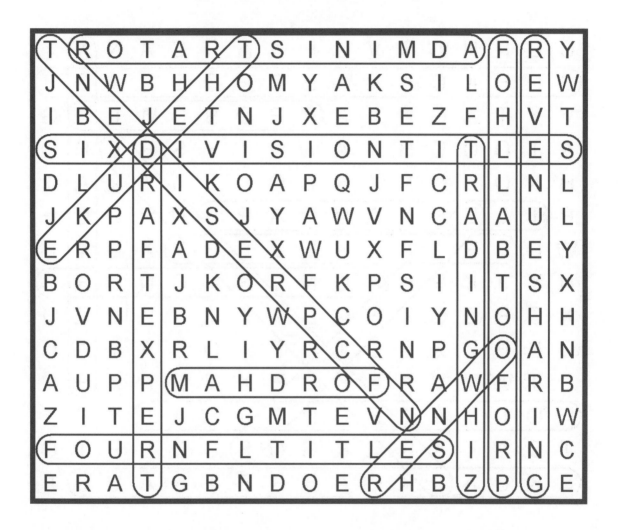

T	R	O	T	A	R	T	S	I	N	I	M	D	A	F	R	Y
J	N	W	B	H	H	O	M	Y	A	K	S	I	L	O	E	W
I	B	E	J	E	T	N	J	X	E	B	E	Z	F	H	V	T
S	I	X	D	I	V	I	S	I	O	N	T	I	T	L	E	S
D	L	U	R	I	K	O	A	P	Q	J	F	C	R	L	N	L
J	K	P	A	X	S	J	Y	A	W	V	N	C	A	A	U	L
E	R	P	F	A	D	E	X	W	U	X	F	L	D	B	E	Y
B	O	R	T	J	K	O	R	F	K	P	S	I	I	T	S	X
J	V	N	E	B	N	Y	W	P	C	O	I	Y	N	O	H	H
C	D	B	X	R	L	I	Y	R	C	R	N	P	G	O	A	N
A	U	P	P	M	A	H	D	R	O	F	R	A	W	F	R	B
Z	I	T	E	J	C	G	M	T	E	V	N	N	H	O	I	W
F	O	U	R	N	F	L	T	I	T	L	E	S	I	R	N	C
E	R	A	T	G	B	N	D	O	E	R	H	B	Z	P	G	E

Administrator
Draft expert
Fordham
Four NFL titles
NFC president
Owner
Pro Football HOF
Revenue sharing
Six division titles
The Duke
Trading whiz

SOLUTION

19 THE CRUNCH BUNCH

C	E	R	H	W	T	V	U	F	J	A	H	C	A	N	N	I
S	R	E	K	C	E	R	W	E	D	F	O	D	R	A	O	B
V	Y	T	A	G	U	L	A	P	R	O	B	O	W	L	S	G
A	T	O	O	C	H	N	A	W	Q	I	Y	S	R	L	R	G
H	X	O	B	C	S	X	S	L	O	L	Z	A	I	Z	A	I
P	T	L	E	P	N	A	V	D	A	R	B	N	R	O	C	E
W	U	B	R	I	A	N	K	E	L	L	E	Y	X	U	Y	P
N	Y	J	K	P	G	H	C	N	U	B	H	C	N	U	R	C
X	O	R	D	G	K	H	G	D	A	I	I	R	D	U	R	Q
O	K	B	Z	X	S	D	T	C	F	I	O	Q	A	Y	A	C
E	T	W	M	V	A	F	K	I	H	X	Y	H	F	Z	H	R
R	O	L	Y	A	T	E	C	N	E	R	W	A	L	Y	C	T
T	D	A	T	X	R	Z	K	G	O	S	C	Q	L	P	T	C
S	K	C	A	S	K	C	A	B	R	E	T	R	A	U	Q	L

Board of Dewreckers
Brad Van Pelt
Brian Kelley
Crunch Bunch
Eighties
Harry Carson
Lawrence Taylor
Linebackers
Pro Bowls
Quarterback sacks

SOLUTION

20 GIANTS ALL-TIME SCORING LEADERS

H	D	B	A	J	H	K	B	P	K	O	J	P	K	J	E	U	D	I
D	J	V	E	O	S	I	U	L	A	D	D	A	R	B	M	B	G	I
U	X	I	P	E	T	E	G	O	G	O	L	A	K	R	H	S	B	P
A	G	J	B	M	D	R	O	F	F	I	G	K	N	A	R	F	U	V
C	M	V	S	O	U	F	N	E	U	Z	G	D	V	O	Q	K	J	M
F	P	A	Y	R	Y	G	M	U	R	J	O	E	D	A	N	E	L	O
K	D	W	N	R	E	T	C	V	K	G	D	N	H	S	C	B	X	Z
C	T	H	S	I	E	T	I	J	W	K	E	N	S	T	R	O	N	G
U	K	X	L	S	T	B	S	A	J	Y	N	L	N	X	D	S	U	T
N	O	Y	Z	O	L	O	R	B	H	J	K	M	L	Z	L	B	D	Y
G	F	S	L	N	I	D	O	A	E	I	I	N	E	A	L	R	D	Q
S	Z	P	S	E	C	H	M	M	B	W	G	H	Y	J	L	X	Q	N
P	E	J	E	U	R	P	H	V	E	I	X	R	F	Q	G	U	R	T
H	L	H	F	M	T	O	O	T	Y	R	K	E	L	P	E	Z	A	U
X	O	F	T	O	A	A	T	H	N	W	R	I	L	Y	B	H	F	R
Z	E	H	N	L	L	A	R	E	M	M	U	S	T	A	P	O	Z	M

Alex Webster
Amani Toomer
Brad Daluiso
Frank Gifford
Joe Danelo
Joe Morrison
Ken Strong
Kyle Rote
Pat Summerall
Pete Gogolak
Raul Allegre
Rodney Hampton
Tiki Barber
Ward Cuff

SOLUTION

21 PHIL SIMMS

F	I	R	S	T	P	L	A	Y	E	R	T	O	S	A	Y	K
D	O	X	M	D	B	R	X	P	Y	A	U	G	O	N	C	T
S	T	A	O	Q	J	E	O	C	W	T	A	L	K	A	J	J
C	G	R	R	W	O	H	N	B	S	G	O	L	B	D	S	G
G	N	E	E	J	G	T	Z	Y	O	L	N	R	N	U	N	F
S	I	U	H	L	B	W	L	Q	P	W	E	A	Q	G	X	T
V	O	K	E	V	E	A	K	G	P	T	L	E	Y	V	U	T
J	G	W	A	V	N	V	A	C	R	Y	Y	M	T	V	A	S
E	M	V	D	A	S	S	E	A	E	J	C	D	V	W	K	S
F	I	R	S	T	R	O	U	N	D	P	I	C	K	P	I	R
N	E	B	T	Z	O	Q	S	X	W	S	M	Q	X	M	G	R
Y	C	Q	A	X	E	I	O	G	J	P	A	C	K	I	L	C
Z	R	Q	T	Z	D	Y	Z	R	F	J	I	K	R	B	E	F
S	U	P	E	R	B	O	W	L	X	X	I	M	V	P	R	A

CBS analyst
Eleven
First player to say…
…"I'm going to…
…Disneyland!"
First-round pick
Morehead State
Pro Bowl MVP
Quarterback
Super Bowl XXI MVP

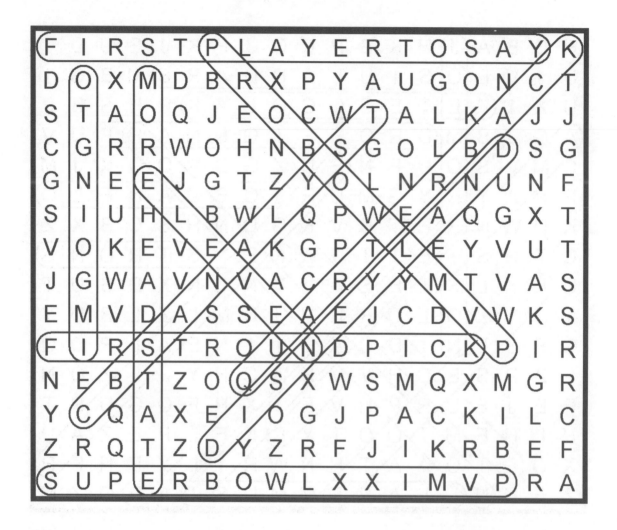

SOLUTION

22 SUPER BOWL XLII

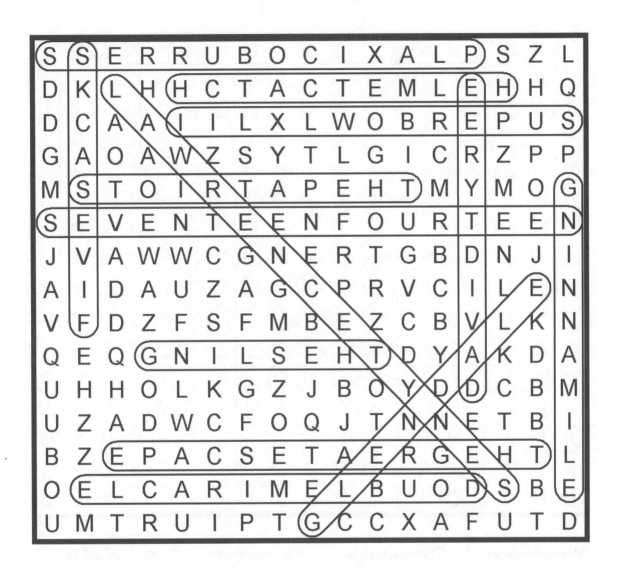

S	S	E	R	R	U	B	O	C	I	X	A	L	P	S	Z	L
D	K	L	H	H	C	T	A	C	T	E	M	L	E	H	H	Q
D	C	A	A	I	I	L	X	L	W	O	B	R	E	P	U	S
G	A	O	A	W	Z	S	Y	T	L	G	I	C	R	Z	P	P
M	S	T	O	I	R	T	A	P	E	H	T	M	Y	M	O	G
S	E	V	E	N	T	E	E	N	F	O	U	R	T	E	E	N
J	V	A	W	W	C	G	N	E	R	T	G	B	D	N	J	I
A	I	D	A	U	Z	A	G	C	P	R	V	C	I	L	E	N
V	F	D	Z	F	S	F	M	B	E	Z	C	B	V	L	K	N
Q	E	Q	G	N	I	L	S	E	H	T	D	Y	A	K	D	A
U	H	H	O	L	K	G	Z	J	B	O	Y	D	D	C	B	M
U	Z	A	D	W	C	F	O	Q	J	T	N	N	E	T	B	I
B	Z	E	P	A	C	S	E	T	A	E	R	G	E	H	T	L
O	E	L	C	A	R	I	M	E	L	B	U	O	D	S	B	E
U	M	T	R	U	I	P	T	G	C	C	X	A	F	U	T	D

David Tyree
"Double Miracle"
Eli Manning
Five sacks
Glendale
"Helmet Catch"
Lawrence Tynes
Plaxico Burress
Seventeen-fourteen
Super Bowl XLII
"The Great Escape"
The Patriots
"The Sling"

SOLUTION

23 GIANTS ALL-TIME KICK AND PUNT RETURNS LEADERS

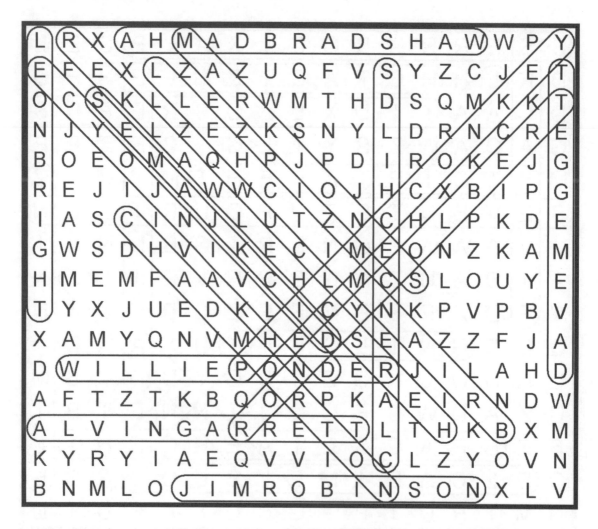

L	R	X	A	H	M	A	D	B	R	A	D	S	H	A	W	W	P	Y
E	F	E	X	L	Z	A	Z	U	Q	F	V	S	Y	Z	C	J	E	T
O	C	S	K	L	L	E	R	W	M	T	H	D	S	Q	M	K	K	T
N	J	Y	E	L	Z	E	Z	K	S	N	Y	L	D	R	N	C	R	E
B	O	E	O	M	A	Q	H	P	J	P	D	I	R	O	K	E	J	G
R	E	J	I	J	A	W	W	C	I	O	J	H	C	X	B	I	P	G
I	A	S	C	I	N	J	L	U	T	Z	N	C	H	L	P	K	D	E
G	W	S	D	H	V	I	K	E	C	I	M	E	O	N	Z	K	A	M
H	M	E	M	F	A	A	V	C	H	L	M	C	S	L	O	U	Y	E
T	Y	X	J	U	E	D	K	L	I	C	Y	N	K	P	V	P	B	V
X	A	M	Y	Q	N	V	M	H	E	D	S	E	A	Z	Z	F	J	A
D	W	I	L	L	I	E	P	O	N	D	E	R	J	I	L	A	H	D
A	F	T	Z	T	K	B	Q	O	R	P	K	A	E	I	R	N	D	W
A	L	V	I	N	G	A	R	R	E	T	T	L	T	H	K	B	X	M
K	Y	R	Y	I	A	E	Q	V	V	I	O	C	L	Z	Y	O	V	N
B	N	M	L	O	J	I	M	R	O	B	I	N	S	O	N	X	L	V

Ahmad Bradshaw
Alvin Garrett
Brian Mitchell
Chad Morton
Clarence Childs
Dave Meggett
Delvin Joyce
Dick James
Herschel Walker
Jim Robinson
Leon Bright
Mark Jones
Phil McConkey
Rondy Colbert
Willie Ponder

SOLUTION

24 LAWRENCE TAYLOR

T	B	L	P	G	A	S	G	D	G	K	A	B	I	G	B	L	U	E
T	E	W	R	E	C	K	I	N	G	C	R	E	W	O	M	T	E	J
C	W	Q	O	E	Q	R	H	E	N	Z	U	R	Y	A	N	W	O	C
I	Y	I	F	Z	M	Y	T	X	I	S	Y	T	F	I	F	O	P	C
C	P	N	O	G	B	L	V	A	B	S	O	B	N	T	L	S	L	D
P	P	Y	O	R	E	V	I	S	N	E	F	E	D	R	M	U	Z	K
D	N	O	T	Q	O	S	P	M	C	T	T	L	L	X	V	P	L	B
V	H	E	B	Y	Q	S	V	O	U	I	Y	L	B	X	P	E	W	J
L	T	S	A	T	B	D	A	U	M	H	K	A	U	K	I	R	E	G
D	S	U	L	P	D	R	Y	E	E	Y	Y	W	X	C	Q	B	U	S
A	A	L	L	D	E	C	A	D	E	T	E	A	M	E	F	O	H	F
V	C	Z	H	C	C	L	I	T	E	N	P	R	O	B	O	W	L	S
D	V	F	O	K	L	E	D	A	Z	I	P	D	M	N	E	L	T	X
L	L	A	F	P	K	F	M	X	K	Y	L	K	C	A	N	S	O	F
P	T	H	R	I	C	E	D	E	F	E	N	S	I	V	E	P	O	Y
B	C	O	U	T	S	I	D	E	L	I	N	E	B	A	C	K	E	R

All-Decade Team
Bert Bell Award
"Big Blue . . .
. . . Wrecking Crew"
Defensive ROY
Fifty-six
NFL MVP
Nine-time All-Pro
Outside linebacker
Pro Football HOF
Ten Pro Bowls
Thrice Defensive POY
Two Super Bowls

SOLUTION

25 GIANTS ALL-TIME RUSHING LEADERS

T	U	C	K	E	R	F	R	E	D	E	R	I	C	K	S	O	N	J
E	K	T	T	S	O	A	I	U	L	T	O	O	B	B	W	J	Y	J
C	V	U	Q	V	B	H	T	S	I	K	Q	X	S	R	V	T	A	O
E	Q	F	I	L	C	S	I	O	E	D	D	I	E	P	R	I	C	E
M	N	F	E	J	A	R	J	T	K	Z	D	V	P	U	O	K	Z	M
B	I	Y	O	R	R	H	N	T	B	G	H	Z	N	C	D	I	T	O
A	R	L	A	O	P	O	C	I	Y	O	U	K	X	P	N	B	X	R
U	X	E	M	D	E	A	N	S	D	D	D	O	L	Q	E	A	L	R
D	L	E	Z	K	N	U	Y	A	A	V	I	Z	D	B	Y	R	P	I
W	O	M	Y	C	T	O	G	N	J	P	U	J	O	S	H	B	O	S
J	F	A	T	R	E	H	R	D	G	O	L	S	W	H	A	E	I	O
I	C	N	N	V	R	I	W	E	K	Q	H	L	G	G	M	R	M	N
Y	Y	S	B	I	C	J	I	R	A	D	Q	N	I	Z	P	E	P	K
K	A	L	E	X	W	E	B	S	T	E	R	M	S	B	T	G	Y	G
S	H	O	S	Z	G	C	K	O	T	J	M	T	W	O	O	Q	A	N
D	R	O	F	F	I	G	K	N	A	R	F	D	X	P	N	L	J	B

Alex Webster
Bill Paschal
Doug Kotar
Eddie Price
Frank Gifford
Joe Morris
Joe Morrison
Ottis Anderson
Rob Carpenter
Rodney Hampton
Ron A. Johnson
Ron Dayne
Tiki Barber
Tucker Frederickson
Tuffy Leemans

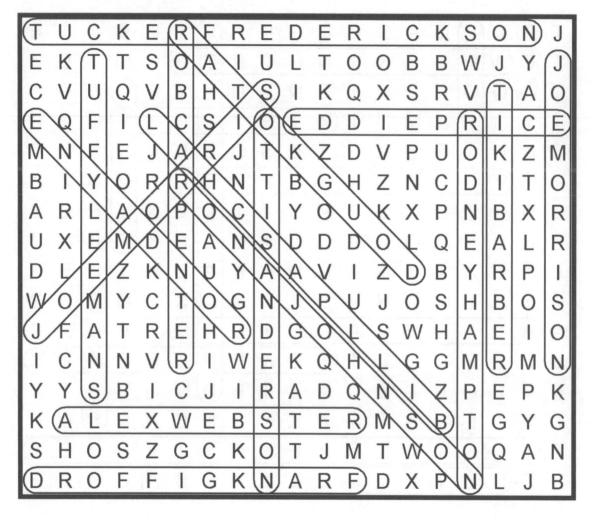

SOLUTION

26 BILL PARCELLS

T	W	I	C	E	C	O	A	C	H	O	F	T	H	E	Y	E	A	R
Z	W	Z	M	X	L	F	B	Q	E	Z	G	Y	C	T	S	H	V	X
B	Q	O	O	A	I	W	H	Z	B	U	R	O	N	H	C	G	C	Z
Z	Z	P	S	D	E	Q	I	T	S	Y	L	A	N	A	N	P	S	E
Y	F	W	A	U	W	T	Q	C	F	Q	Q	B	O	K	B	I	P	F
R	Q	B	C	N	P	R	E	C	H	X	P	C	G	Z	G	N	Z	D
D	U	U	L	K	U	E	A	D	C	I	T	A	C	I	Q	C	L	A
L	H	H	Q	E	P	T	R	K	A	S	T	O	D	Q	B	B	R	Z
A	O	F	K	D	J	J	G	B	R	C	B	A	D	L	X	B	H	V
R	A	K	I	W	Q	N	A	I	O	X	E	N	S	J	H	R	R	G
E	Y	H	V	I	X	O	F	I	B	W	M	D	E	T	D	J	S	K
W	D	Q	H	T	P	X	T	A	Y	E	L	E	L	Q	A	E	Q	G
V	F	P	D	H	Z	C	E	N	D	C	H	S	Q	L	Q	T	W	F
B	Q	T	N	B	W	N	R	K	J	G	A	T	O	R	A	D	E	A

All-Decade Team
Big Blue
ESPN analyst
First coach . . .
. . . dunked with . . .
. . . Gatorade
The Big Tuna
Twice Coach of the Year
Two Super Bowls
Wichita State

SOLUTION

27 GIANTS ALL-TIME RECEIVING TOUCHDOWNS LEADERS

L	S	S	E	R	R	U	B	O	C	I	X	A	L	P	T	Y
I	R	V	O	R	A	V	A	B	K	R	A	M	X	Y	T	U
Y	B	E	G	I	Y	I	E	R	B	R	H	A	B	P	M	L
F	R	A	N	K	G	I	F	F	O	R	D	N	C	V	S	O
X	X	U	U	F	E	L	R	N	B	I	Q	I	C	E	T	Y
U	M	V	H	L	O	Z	T	Q	S	L	Y	T	N	E	Z	K
Y	F	E	F	E	X	H	E	T	C	U	A	O	T	F	Q	Q
T	Z	V	N	M	O	V	S	W	H	B	J	O	A	K	R	L
T	G	T	G	M	F	L	H	L	N	R	R	M	N	B	X	J
K	L	B	A	H	G	B	J	K	E	E	Q	E	C	V	Z	J
K	X	S	O	H	P	L	E	M	L	D	F	R	B	X	A	D
F	Y	H	I	A	Z	B	O	Y	K	G	X	X	I	H	A	E
M	Y	I	K	G	Y	H	K	C	E	N	O	G	T	P	S	U
Q	Z	L	M	J	O	E	M	O	R	R	I	S	O	N	E	M

Aaron Thomas
Amani Toomer
Bob Schnelker
Del Shofner
Frank Gifford
Homer Jones
Joe Morrison
Kyle Rote
Mark Bavaro
Plaxico Burress

SOLUTION

28 TIKI BARBER

S	D	R	A	Y	L	A	T	O	T	R	E	E	R	A	C	T	S	O	M
R	Q	Z	L	J	X	J	Z	P	L	C	E	V	I	D	T	B	D	N	F
Y	R	R	A	C	R	E	P	S	D	R	A	Y	T	S	O	M	R	H	F
U	S	U	N	D	A	Y	N	I	G	H	T	F	O	O	T	B	A	L	L
T	W	E	N	T	Y	O	N	E	B	C	Y	X	R	A	C	S	Y	H	N
U	W	T	U	N	C	Y	I	E	A	E	V	U	G	I	W	J	G	K	D
T	X	L	S	W	I	Q	E	I	V	A	P	A	K	N	A	L	N	I	N
O	E	Z	A	I	D	N	P	S	F	K	N	O	S	B	R	G	I	I	F
K	S	Y	I	K	M	G	G	H	R	M	B	B	L	O	X	G	H	Y	O
L	W	Y	N	S	L	W	O	B	O	R	P	E	E	R	H	T	S	B	U
K	K	T	I	P	R	C	B	L	A	I	P	A	F	W	I	C	U	H	R
C	R	W	G	J	L	H	K	I	R	C	S	I	S	L	I	H	R	S	D
B	K	H	R	W	B	X	M	U	G	N	K	W	R	M	R	L	T	G	N
S	N	O	I	T	P	E	C	E	R	R	E	E	R	A	C	T	S	O	M
O	R	Y	V	S	L	A	E	B	T	I	O	Q	T	S	A	P	O	L	O
D	O	X	C	S	D	T	G	N	I	H	S	U	R	T	S	O	M	A	O

Most career receptions
Most career total yards
Most rushing TDs
Most rushing yards
Most yards per carry
Running back
Sunday Night Football
Three Pro Bowls
Twenty-one
Virginia

SOLUTION

29 HARRY CARSON

R	Y	C	Q	D	C	A	X	V	S	F	Q	V	V	I	B	S	X	M
U	C	O	L	L	E	G	E	F	O	O	T	B	A	L	L	H	O	F
N	X	R	H	W	N	E	P	U	S	L	W	T	S	Z	Z	C	C	O
S	O	U	T	H	C	A	R	O	L	I	N	A	S	T	A	T	E	H
T	I	A	R	B	V	A	E	H	R	Q	A	Q	W	Y	Y	V	H	L
O	Z	Z	B	Y	L	X	U	E	T	D	R	I	T	D	S	H	P	L
P	R	N	A	L	U	G	K	E	L	Y	T	S	T	U	O	L	L	A
P	G	S	P	M	D	C	N	B	C	H	T	N	Q	M	R	Q	A	B
E	S	R	T	I	A	W	E	N	Z	G	T	F	H	I	B	S	K	T
R	O	S	G	B	C	Q	L	Q	M	O	A	U	I	L	J	X	Z	O
S	U	P	E	R	B	O	W	L	C	H	A	M	P	F	F	B	C	O
U	C	N	I	N	E	P	R	O	B	O	W	L	S	Q	S	D	X	F
F	I	I	Y	H	T	W	O	Z	Q	H	L	Z	F	Y	G	J	J	O
L	E	D	G	I	A	N	T	S	I	N	T	A	C	K	L	E	S	R
C	Z	I	C	N	L	R	G	T	G	Q	U	R	F	O	Z	E	S	P
W	Q	T	P	Z	C	A	J	W	U	Y	F	N	K	U	J	Y	F	C

"All-out" style
College Football HOF
Fifty-three
Four All-Pros
Led Giants in tackles
Linebacker
Nine Pro Bowls
Pro Football HOF
Run stopper
South Carolina State
Super Bowl champ

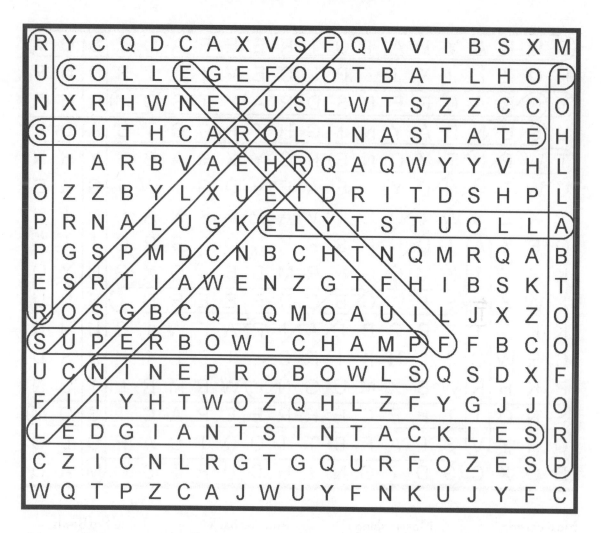

SOLUTION

30 GIANTS ALL-TIME PASSER RATINGS LEADERS

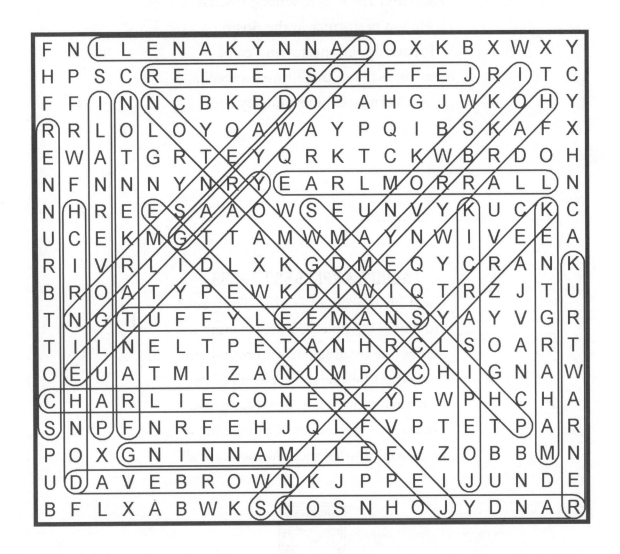

F	N	L	L	E	N	A	K	Y	N	N	A	D	O	X	K	B	X	W	X	Y
H	P	S	C	R	E	L	T	E	T	S	O	H	F	F	E	J	R	I	T	C
F	F	I	N	N	C	B	K	B	D	O	P	A	H	G	J	W	K	O	H	Y
R	R	L	O	L	O	Y	O	A	W	A	Y	P	Q	I	B	S	K	A	F	X
E	W	A	T	G	R	T	E	Y	Q	R	K	T	C	K	W	B	R	D	O	H
N	F	N	N	N	Y	N	R	Y	E	A	R	L	M	O	R	R	A	L	L	N
N	H	R	E	E	S	A	A	O	W	S	E	U	N	V	Y	K	U	C	K	C
U	C	E	K	M	G	T	T	A	M	W	M	A	Y	N	W	I	V	E	E	A
R	I	V	R	L	I	D	L	X	K	G	D	M	E	Q	Y	C	R	A	N	K
B	R	O	A	T	Y	P	E	W	K	D	I	W	I	Q	T	R	Z	J	T	U
T	N	G	T	U	F	F	Y	L	E	E	M	A	N	S	Y	A	Y	V	G	R
T	I	L	N	E	L	T	P	E	T	A	N	H	R	C	L	S	O	A	R	T
O	E	U	A	T	M	I	Z	A	N	U	M	P	O	C	H	I	G	N	A	W
C	H	A	R	L	I	E	C	O	N	E	R	L	Y	F	W	P	H	C	H	A
S	N	P	F	N	R	F	E	H	J	Q	L	F	V	P	T	E	T	P	A	R
P	O	X	G	N	I	N	N	A	M	I	L	E	F	V	Z	O	B	B	M	N
U	D	A	V	E	B	R	O	W	N	K	J	P	P	E	I	J	U	N	D	E
B	F	L	X	A	B	W	K	S	N	O	S	N	H	O	J	Y	D	N	A	R

Charlie Conerly
Craig Morton
Danny Kanell
Dave Brown
Don Heinrich
Earl Morrall
Ed Danowski
Eli Manning
Fran Tarkenton
Gary Wood
Harry Newman
Jeff Hostetler
Jeff Rutledge
Joe Pisarcik
Kent Graham
Kerry Collins
Kurt Warner
Norm Snead
Paul Governali
Phil Simms
Randy Johnson
Scott Brunner
Tuffy Leemans
Y.A. Tittle

ABOUT THE AUTHOR

Brendan Emmett Quigley writes crossword puzzles for *The New York Times* and *The Onion*, among others. He is a performer in the Boston Typewriter Orchestra and can be seen on his blog three times a week: www.brendanemmettquigley.com.

ABOUT APPLESEED PRESS

Great ideas grow over time. From seed to harvest, Appleseed Press labors to bring fine reading and entertainment together between the covers of its creatively crafted books. Our grove bears fruit twice a year, publishing a new crop of titles each Spring and Fall.

APPLESEED
• PRESS •
• BOOK •
PUBLISHERS

Visit us on the web at
www.appleseedpress.net
or write to us at
12 Port Farm Road
Kennebunkport, Maine 04046